TIRSO DE MOLINA

W0019367

LA LEALTAD CONTRA LA ENVIDIA

BARCELONA **2012**
WWW.LINKGUA-DIGITAL.COM

CRÉDITOS

Título original: La lealtad contra la envidia.

© 2012, Red ediciones S.L.

e-mail: info@ ed-ediciones.com

Diseño de cubierta: Mario Eskenazi

ISBN rústica: 978-84-9816-511-1.
ISBN ebook: 978-84-9953-228-8.
ISBN cartoné: 978-84-9953-791-7.

Cualquier forma de reproducción, distribución, comunicación pública o transformación de esta obra solo puede ser realizada con la autorización de sus titulares, salvo excepción prevista por la ley. Diríjase a CEDRO (Centro Español de Derechos Reprográficos, www.cedro.org) si necesita fotocopiar o escanear algún fragmento de esta obra.

El diseño de este libro se inspira en *Die neue Typographie*, de Jan Tschichold, que ha marcado un hito en la edición moderna.

SUMARIO

PRESENTACIÓN

La vida

Tirso de Molina (Madrid, 1583-Almazán, Soria, 1648). España.

Se dice que era hijo bastardo del duque de Osuna, pero otros lo niegan. Se sabe poco de su vida hasta su ingreso como novicio en la Orden mercedaria, en 1600, y su profesión al año siguiente en Guadalajara. Parece que había escrito comedias y por entonces viajó por Galicia y Portugal. En 1614 sufrió su primer destierro de la corte por sus sátiras contra la nobleza. Dos años más tarde fue enviado a la Hispaniola (actual República Dominicana) y regresó en 1618. Su vocación artística y su actitud contraria a los cenáculos culteranos no facilitó sus relaciones con las autoridades. En 1625, el Concejo de Castilla lo amonestó por escribir comedias y le prohibió volver a hacerlo bajo amenaza de excomunión. Desde entonces sólo escribió tres nuevas piezas y consagró el resto de su vida a las tareas de la orden.

PERSONAJES

Obregón
Cañizares
Don Alonso de Mercado
Don Alonso Quintanilla
Castillo
Padilla
Don Fernando Pizarro
Don Gonzalo Vivero
Doña Isabel
Doña Francisca
Chacón
Don Gonzalo Pizarro
Don Juan Pizarro
Robles, soldado
Peñafiel, soldado
Piurisa, india
El Inca, rey
Dos judíos
Guayca, india
Granero
Juan Rada
Don Alfonso de Alvarado
Don Pedro
Don Rodrigo

Esta obra pertenece a una trilogía dedicada a la familia Pizarro. Todo es dar una cosa (sobre Francisco), Amazonas en las Indias (sobre Gonzalo) y La lealtad contra la envidia (sobre Hernando). La estancia en América de Tirso de Molina inspiró esta serie de obras sobre los conquistadores.

JORNADA PRIMERA

(Tocan dentro chirimías y trompetas como en la plaza cuando hay toros, silvos y grita, y salen Obregón y Cañizares.)

Obregón
Acogerse, que el toril
está abierto, y las trompetas
hacen señal.

Cañizares
A recetas
tan viudas, lo civil
de la fuga es más seguro
que una muerte criminal.

Obregón
Otra vez hacen señal.

Cañizares
Aquel andamio es mi muro.

Obregón
¿Hay bota?

Cañizares
Con munición
de Alaejos.

Obregón
Esa afrenta
tome Medina a su cuenta,
pues solos sus vinos son
los monarcas de Castilla.

Cañizares
Y a fe que en fe de su vino
dicen que Baco es vecino
de esta populosa villa;
más todo lo forastero
suele ser más estimado.

Obregón   ¿Qué hay más?

Cañizares   Conejo empanado
y una pierna de carnero,
   tan tachonada de clavos,
y para que en mas se precie,
ojalada con la especie
villana por todos cabos
   que se juntan las Molucas
en ella con Alcalá
di Henares.

Obregón   Cógense allá
robustos ajos.

Cañizares   Caducas
   suspensiones de la taza
que tiemblan de puro añejas,
con un jamón, que en guedejas
se deshile, harán la plaza
   que se te ande alrededor.

(Grita como que sueltan al toro.)

Uno (Dentro.)   Bravo toro.

Otros (Dentro.)   Guárdate, hombre.

Obregón   Pedidle a la oreja el nombre
si os preciáis de toreador;
   dos rayos lleva en los huesos
y cuatro alas en los pies.

Cañizares   Barrendero valiente es.

10

¡Por Dios, que los más traviesos
le van despejando el coso!

Obregón   A todos tiembla la barba.

Cañizares   ¡Fuego de Dios, cómo escarba
y cómo bufa el barroso!

Uno (Dentro.)   ¡Jesús, Jesús, que le mata!

Obregón   ¿Cogióle?

Uno (Dentro.)   ¡Válgate Dios!

Cañizares   ¿Otra vez? De dos en dos
cita, ejecuta y remata
a pares las cabezadas.
¡Oh Minotauro español!

Obregón   ¿Hirióle?

Cañizares   No; pero el Sol
le alumbra las dos lunadas.

Obregón   Descortesmente se paga
toro que hace tal castigo.

Cañizares   Debe de ser enemigo
del Arzobispo de Braga.

Obregón   No experimento sus tretas.

Cañizares   Alto al tablado, Obregón,
que éste, sin ser postillón,

condena en las agujetas.

Uno (Dentro.) ¡Corre, corre, que te alcanza!

Obregón ¡Qué bien la capa le echó
el que se le atravesó!

Cañizares En ella toma venganza;
¡Oh! Cómo ojala y pespunta.
¡Dalle, dalle! ¿Hay tal porfía?

Obregón ¡Fiadle una ropería!

Cañizares No tiene de punta a punta
palmo y medio su armazón.

Obregón Más de algún culto dijera
que se pone bigotera.

Cañizares Aguardemos, que hay rejón.

(Dentro suenan pasos de caballo con pretal.)

Obregón Alentado, caballero,
¡qué buen aire, qué bizarro!

Cañizares Éste es Fernando Pizarro.

Obregón ¿Quién?

Cañizares El Marte perulero.
El que ha dado a Carlos V
un nuevo orbe, que dilata,
y de mil leguas de plata

	le trae al César su quinto.
	El más airoso soldado
	que Italia y que Flandes vio.
Obregón	¿Éste es a quien hospedó
	don Alonso de Mercado?
	¿El que en la justa y torneo
	hizo tan festivo estrago?
Cañizares	El lagarto de Santiago,
	en fe de tan noble empleo
	tiene en su pecho el lugar
	que es su centro y propia esfera.
Obregón	Extremadura te espera
	en estatuas venerar.
	Éste dicen que prendió
	al monarca Atabaliba,
	y de una suma excesiva
	de indios triunfante salió.
Cañizares	Cuatro hermanos son, que igualo
	a los nueve héroes que dan
	renombre a la fama; Juan,
	Francisco, Hernando y Gonzalo;
	pero el que ves sobre todos.
Obregón	Su presencia, lo asegura,
	venturosa Extremadura.

(Suena el pretal como que se pasea.)

| Cañizares | Es sangre, en fin, de los godos, |

Obregón	Ya ha dado a la plaza vuelta y hacia el toro se encamina.
Cañizares	¡Qué bien al bruto examina! ¡Qué airoso que el brazo suelta caído con el rejón!
Obregón	El caballo es extremado.
Cañizares	¡Hermoso rucio rodado!
Obregón	Su piel en oposición mezcla la nieve y la tinta; bellas manchas la hermosean.
Cañizares	Más las colores campean si la enemistad las pinta, en éste solo se enseña si quieres examinallo la perfección de un caballo: cabeza airosa y pequeña, viva, alegre y descarnada, los ojos grandes, abiertas las narices, por ser puertas del aliento; bien poblada la crin que el talle hace bello, de plata, espesa y prolija, que se escarcha y ensortija; ancho el pecho, corto el cuello, las dos caderas partidas, al pisar firmes y llanos los pies, echando las manos afuera, y tan presumidas, que a los estribos se atreven,

tan sujeto al freno y fiel,
que parece que con él
le habla el dueño.

Obregón   Lición lleven
los más diestros de lo airoso
con que el gallardo extremeño
quiere salir de este empeño.

Cañizares   ¡Qué atento le mira el coso!

Obregón   Aguardernos esta acción,
que no es bien mientras subamos
al tablado que perdamos
tan vistosa ostentación.

(Suena el pretal como que se pasea.)

Cañizares   Repara con el aseo
que paso a paso se va
al toro.

Obregón   ¡Qué atenta está
la plaza!

Cañizares   El común deseo
le favorece.

Obregón   Ya el bruto
le encara, escarbando el suelo,
y hacia atrás tomado el vuelo,
airado, diestro y astuto
   reviene la ejecución
del golpe.

Cañizares	Y el don Fernando la nuca le va buscando con el hierro del rejón.

(Ruido del caballo y pretil, como que acomete.)

Obregón	¡Oh, quiera Dios que le acierte!
Cañizares	Ya le embiste.
Obregón	Con él cierra.
Uno (Dentro.)	¡Válgate Dios!
Cañizares	Cayó en tierra el toro.
Uno (Dentro.)	¡Extremada suerte!

(Chirimías.)

Obregón	Tan dichosa como cuerda.
Cañizares	Pienso que al caballo hirió.
Obregón	No pudo, que le sacó veloz por la mano izquierda y la presa hizo en vacío la bestia.
Cañizares	Patas arriba aplaude a quien le derriba.

Obregón	Todos celebran su brío.
Cañizares	Dejóle dentro una braza desde la nuca hasta el cuello.
Obregón	¡Lance airoso, golpe bello!
Cañizares	Vítores le da la plaza.
Obregón	Y con razón, que su gala mayor aplauso merece.
Cañizares	¿En qué el toro se parece a la comedia que es mala?
Obregón	Buen enigma; alto al tablado.
Cañizares	¿En qué se parecen, digo, el toro y comedia?
Obregón	Amigo, parecense en lo silbado.

(Vanse Obregón y Cañizares. Salen don Alonso de Quintanilla y don Fernando, como que se apea de dar el rejón, y con hábito de Santiago, y Castillo, su criado.)

Quintanilla	Don Fernando, estos abrazos os doy por dos parabienes, y entrambos son tan solemnes, que a transformarse sus lazos en laureles, consiguieran la dicha de coronaros; dedícooslos por hallaros

17

en España. No pudieran
    darme nuevas de igual gusto.
Los míos también os doy
por la acción con que honráis hoy
estas fiestas, pues fue justo,
    cuando Medina del Campo,
católica, las ordena
a la Cruz, que fue de Elena
tesoro que halló en el campo,
    como el Evangelio dice,
oculto y del orbe luz
que honrando vos con la cruz
el pecho noble y felice,
    hallase en vos igual pago,
pues una y otra divina
festeja a la de Medina
hoy en vos la de Santiago.
    Bizarra demostración,
tan dichosa como diestra,
acaba de darnos muestra
de que vuestros hechos son
    dignos de infinitas famas.
Con razón podrán teneros,
sí, envidia los caballeros,
en su protección las damas.
    ¡Sazonada y feliz suerte!

Fernando   La de hallaros lo será,
dejad de encarecer ya
el dar a un bruto la muerte,
    que los de toros y dados
consisten en la ventura.

Quintanilla   Juzgábala yo segura

mientras que fuimos soldados
  y camaradas los dos
en Italia.

Fernando   ¡Oh, capitán,
qué vida aquella!

Quintanilla   Ya están,
desde que faltasteis vos
  las cosas tan diferentes
que no las conoceréis.

Fernando   Múdanse, como sabéis,
los sucesos con las gentes,
  pero el César —Dios le guarde—
en Nápoles y en Milán
reina; huyóle Solimán,
sólo con Carlos cobarde.
  Túnez le paga tributo,
a pesar de Barbarroja,
al ciego sajón despoja,
cubrió el Lansgrave de luto
  presunciones que Lutero
llenó de torpe arrogancia;
preso en Madrid, lloró Francia
a su Francisco primero.
  Roma le dio la obediencia,
bien que a costa de Borbón;
Duques los Médicis son
con su favor en Florencia.
  Capitanes y soldados
tiene de inmensos valores.
¿Qué le falta?

Quintanilla   El ser mejores
siempre los tiempos pasados.
    ¿Acordaisos de aquel día,
que nos hallamos los dos,
alférez entonces vos,
Fernando, en la de Pavía;
    cuando el marqués de Pescara
al rey Francisco prendió,
que porque la honra nego
al marqués, de acción tan rara,
    un capitán italiano,
le desafiasteis?

Fernando   Fue
en las hazañas y fe
prodigio algo más que humano
    el marqués. ¿Qué maravilla,
si se llamó don Fernando
de Ávalos, ilustrando
sangre que le dio Castilla,
    que un don Fernando volviese
por otro? Él lo mereció;,
mas también me acuerdo yo,
porque el crédito, os confiese
    en que el César siempre os tuvo,
que cuando su majestad,
después que dio libertad
al dicho rey, y él no estuvo
    firme en la correspondencia
a tanta piedad debida,
su ingratitud conocida,
e irritada su paciencia,
    que de persona a persona
le envió a desafiar,

y a vos os hizo avisar,
que partiendo a Barcelona,
   le hiciésedes compañía,
por si fuese dos a dos
el combate, que de vos
valor tanto el César fía.

Quintanilla   Excusóse el Francés de eso
y quedóse mi alabanza
no más, que en esa esperanza,
pesóme, yo os lo confieso.
   Dichoso vos, don Fernando,
que no cabiendo en el mundo,
buscasteis otro segundo
nuevos polos conquistando,
   que el Non plus ultra dilata,
y al César su globo humilla.

Fernando   Don Alonso Quintanilla,
fama pretendo, no plata.

Quintanilla   Con una y otra se adquieren
blasones y estados grandes;
ricos de fama hay en Flandes,
que pobres de plata mueren.
   Yo vengo ahora de allá
tan cargado de papeles,
como el honor de laureles,
pero juzgaréme ya
   por dichoso y bien premiado,
pues veros he merecido.

Fernando   Todo lo que he adquirido
es vuestro.

Quintanilla   No interesado,
                        amigo sí, me estimad,
                        que son más firmes tesoros.
                        Gocemos ahora los toros,
                        y aquella ventana honrad,
                            oíreis aplausos desde ella,
                        que la plaza os apercibe.

(Gritos y ruido, dentro, de fuego.)

Fernando   Quien de adulaciones vive
                        poco le debe a su estrella.
                            Pero escuchad, ¿qué ruido
                        es éste?

Uno (Dentro.)   ¡Agua, que esta casa
                        se quema!

Otro (Dentro.)   ¡Agua, que se abrasa
                        esta acera!

Otro   Ya ha cogido
                        las puertas el fuego.

Otro   Ayuda,
                        que me abraso.

Otro   ¡Que me quemo!

Otro   ¡Que me ahogan!

Quintanilla   ¡Triste extremo!

Fernando	¡Qué brevemente se muda el regocijo en cuidados!
Quintanilla	Confusa con la congoja toda la gente se arroja sin sentido a los tablados desde los balcones.
Fernando	¡Llamas terribles; incendio extraño!
Quintanilla	El sobresalto hace el daño mayor. ¡Qué de hermosas damas sin reparar en recatos se arrojan y precipitan!
Fernando	¡Y qué poco solicitan su remedio los ingratos pretendientes de su amor!
Quintanilla	¿Pues qué ayuda pueden darlas, si aunque intenten ampararlas contra el fuego no hay valor?
Fernando	No desamparar su lado en peligro tan urgente.

(Gritos de dentro y ruido como que se ha hundido un tablado.)

Quintanilla	La multitud de la gente con todos hundió el tablado.
Unos (Dentro.)	¡Jesús, Jesús!

Otro (Dentro.)	¡Que me matan!
Otro	¡Que me ahogan, confesión!
Fernando	¿Hay más triste confusión?
Otro (Dentro.)	¡Agua!
Otro (Dentro.)	¡Favor!
Fernando	Se retratan sus congojas en mi pecho. ¡Ah, cielos, que no haya traza de socorrerlos!
Quintanilla	La plaza va toda allá sin provecho, porque antes la multitud estorba que favorece.
Fernando	Voraz el incendio, crece el espanto y la inquietud.
Quintanilla	En una silla han sacado del riesgo una dama bella.
Fernando	¡Válgame Dios! ¿No es aquélla doña Isabel de Mercado? ¿Qué espero aquí, si la adoro?
Uno (Dentro.)	Huir, que el toril se ha abierto.
Unos (Dentro.)	¡Agua!

Otros	¡Favor!
Otro	¡Qué me han muerto!
Otros	¡Confesión!
Quintanilla	¡Soltóse un toro!
Fernando	Y hacia el tablado caído se encara contra la gente.
Quintanilla	¡Extraña ocasión!
Fernando	Presente mi dama, desaire ha sido, cuando tanto la he querido, el no irla yo asegurar. ¿Yo tengo fe? ¿Yo sé amar?
Quintanilla	A la silla ha acometido el bruto fiero, y los mozos huyen, dejándola en ella.

(Embraza la capa y saca la espada.)

Fernando	Aquí valor, aquí estrella! No ha de malograr mis gozos la Fortuna, no la suerte; amor, ésta e mi ocasión.

(Vase don Fernando.)

Quintanilla	¡Gallarda resolución! Téngale envidia la muerte;

contra el bruto cara a cara
se arroja, y puesto delante
de la silla, acción de amante,
airoso a su prenda ampara.
    ¡Qué valientes cuchilladas;
qué diestro que sale y entra,
que animoso que le encuentra
qué atentas y qué aseadas
    acciones! Ni descompuesto,
ni con el riesgo turbado.

Uno (Dentro.)   ¡Bravo golpe!

Quintanilla   Cercenado
le ha la cabeza. Echó el resto
    su valor; aprenda de él
el ánimo y la destreza.
Dejádole ha la cabeza
al cuello, como joyel,
    y dividido en pedazos
el cuerpo, la arena tiñe,
el acero heroico ciñe
y a su dama saca en brazos.

(Saca don Fernando desmayada en brazos a doña Isabel.)

Fernando   ¡Tal desgracia y en tal día!
Su mejor flor secó el mayo;
dos almas cortó un desmayo,
la de Isabel y la mía.
(Sale Castillo.)   Esta casa es principal.
Castillo, a esas puertas llama,
prevén en ella una cama.
(Vase Castillo.)   Si fuese, amigo, mortal

26

este trágico accidente,
las suertes se malograron,
que envidiosos ahogaron
los aplausos de la gente.

Quintanilla   No hay que temer este extremo,
que un desmayo ocasionado
de riesgo tan apretado,
es común.

Fernando   Su muerte temo.

Quintanilla   Las delicadas bellezas
son flores que se marchitan,
pero luego resucitan;
porque sustos y tristezas
   desmayan, mas nunca matan.

(Salen Castillo y Chacón.)

Castillo   Sube, señor, que ya abrieron.

Fernando   Nueva esperanza me dieron
las perlas que se desatan
   bordando cada mejilla.

Quintanilla   Pues que llora, viva está.

Fernando   ¡Oh, amanezca este Sol ya!
Don Alonso Quintanilla,
   esperadme aquí; Chacón,
a don Alonso Mercado
corre a avisar del estado
en que tanta confusión

27

nos ha puesto; di que asisto
a su hermana mientras viene.

(Éntrase don Fernando con la dama y también Chacón.)

Quintanilla   ¿Pues de fiesta tan solemne
ha faltado?

Castillo   No la ha visto.
 Poco a estas cosas se inclina,
después que alcaide le ha hecho
el César, de él satisfecho,
de la Mota de Medina.

Quintanilla   Es notable fortaleza,
y en Castilla de importancia.

Castillo   Los hijos del rey de Francia
humillaron su grandeza
 teniéndola por prisión.

Quintanilla   ¿Y es don Alonso casado?

Castillo   Hasta poner en estado
dos hermanas, perfección
 de la hermosura y nobleza,
la desmayada Isabel
y Francisca, pienso de él,
que juzga a poca fineza
 darlas cuñada, que son
casi suegras.

Quintanilla   Vuestro dueño
de la mitad deste empeño

le sacara.

Castillo   Inclinación
muestra don Fernando extraña
a doña Isabel.

Quintanilla   Merece
todo el amor que la ofrece
su beldad.

Castillo   Puede en España
ser espejo de doncellas
en virtud, honestidad,
recato, afabilidad
y discreción.

Quintanilla   Partes bellas
para hacer que don Fernando
olvide al Perú.

Castillo   Sería
a lo menos feliz día
para aquel orbe, si entrando
en él con tan bella esposa
don Fernando, mi señor,
diese a las Indias valor
su prosapia generosa.
Huésped suyo agasajado
ocho días ha en la Mota,
amor, que esperanzas brota,
bien puede de este Mercado
feriar dulce compañía.

Quintanilla   ¿Corréspondele la dama?

Castillo	No sé que pase su llama
	extremos de cortesía;
	pues para que en más se estime
	el valor, que en ella adora,
	si afable y bella enamora,
	grave y honesta reprime.

(Salen don Alonso de Mercado, don Fernando y Chacón.)

Mercado	Ya mi Isabel, recobrada,
	volvió en sí, gracias a Dios,
	porque os debamos a vos
	fineza tan sazonada.
	Pagáis, en fin, la posada,
	que en mi casa honrado habéis
	de suerte, que igual hacéis
	mientras que de ella os sirváis
	al placer, que la asistáis,
	al pesar, que os ausentéis:
	Medina os queda deudora;
	porque sin vos, ¿que valieran
	fiestas, qué tragedias fueran
	si sólo el temor las llora?
	Con vos en gozos mejora
	pesares, que amenazaron
	desgracias; pero no osaron
	competiros cuando os vieron,
	pues dado que acometieron
	cobardes, no ejecutaron.
	El fuego os tuvo temor,
	pues vengando nuestra injuria,
	sólo hizo alarde su furia
	de vuestro invicto valor.

Para que fuese mayor
creció peligros la llama
y cuando más se derrama,
más la suerte os engrandece,
que al paso que el riesgo crece,
crece en el noble la fama.
　　Ésta, en una y otra acción,
parece que duplicada
tuvo envidia vuestra espada
a vuestro airoso rejón.
Un toro a su ejecución
rindió la rebelde vida,
logrando en otra lucida
vuestra espada su destreza,
que a dejarle la cabeza
pudiera quedar corrida.
　　Muerto, en fin, a vuestros pies
confesó, añadiéndoos famas,
que aun un bruto con las damas
es razón que sea cortés.
Débeos mi hermana después
nueva vida y ser segundo,
y así en vuestro valor fundo
que sólo, ensalzando a España,
pudiera hacer tanta hazaña
un hombre del otro mundo.

Fernando　　　　Soy yo, don Alonso, amigo,
todo vuestro, y no es razón,
que prendas que vuestras son
alabéis, parte y testigo.
Mas si con ello os obligo,
creedme, a fe de soldado,
que del Perú conquistado

no estimo en tanto el laurel
como ver vuestra Isabel
libre del riesgo pasado.
    La desgracia repentina
estas fiestas lastimara,
si la beldad malograra
que vale más que Medina.
Cesó su fatal ruina,
pasó el rigor como el rayo,
que ocasionando al desmayo
sobresaltos y temores,
si congojó nuestras flores,
volvió a alentarlas el mayo.
    Doña Isabel, mi señora,
vuelve a casa, y asegura,
cómo tras la noche oscura,
con más belleza el aurora.
Venid y démosla agora
parabienes, pues no debe
sufrirse que el premio lleve
de una suerte bien lograda,
el brazo solo y la espada,
sino el alma que los mueve.

Mercado   Airosa es la bizarría
que sabe para obligar,
del modo que en vos, juntar
al valor, la cortesía.
Si fuera la hermana mía
alma que el brazo os rigiera,
dichas mi casa tuviera,
que en vos estoy envidiando,
vamos.

32

(Vase don Alonso Mercado. Sale don Gonzalo de Vivero.)

Vivero   Señor don Fernando,
                       aparte hablaros quisiera.

Fernando   Don Alonso, al punto os sigo;
                       Quintanilla valeroso,
                       vernos después es forzoso.

Quintanilla   Adiós, don Fernando, amigo.

(Vanse don Gonzalo de Vivero y Quintanilla.)

Castillo   ¿He de quedarme contigo?

Fernando   No, Castillo; con Chacón
                       en casa espera.

Castillo   A cuestión
                       me huele tanto recato.

Chacón   Horma topó su zapato
                       que le apretará el talón.

(Vanse Castillo y Chacón.)

Fernando   Ved en qué serviros puedo,
                       pues solos nos han dejado.

Vivero   De vuestro cortés agrado
                       con nuevas envidias quedo,
                          pero no habéis de enojaros
                       si apasionado y celoso
                       me advirtiéredes curioso

33

en lo que he de preguntaros.

Fernando Excusad esa advertencia;
por que yo ya ha muchos años,
que entre peligros y daños
aprendí a tener paciencia;
   mas, celoso, sentiría
haberos yo ocasionado
a mal tan desesperado.

Vivero Vos causáis la pena mía.
   ¿A cuál de las dos hermanas
que os hospedan, queréis bien?

Fernando A entrambas, porque no estén
quejosas, que en cortesanas
   obligaciones no hay tasa
que reprima al liberal,
ni fuera bien querer mal
a quien me admite en su casa.

Vivero No os déis por desentendido
si sabéis la diferencia,
que hace la benevolencia
al amor correspondido.
   ¿De cuál de estas sois amante?
¿Quien vuestro cuidado obliga?

Fernando No sé, por Dios, lo que os diga
a pregunta semejante.
   Pero podréos afirmar,
que cuando hiciera el deseo
en una o en otra empleo,
oso tan poco fiar

a ninguno mis afectos,
que aunque dentro el alma moran
mis pensamientos, ignoran
unos de otros los secretos.
  Ved si será desvarío,
no siendo amigos los dos
que os fíe el secreto a vos,
que al pensamiento no fío.

Vivero   Comunicando cuidados
                Amor su alivio procura.

Fernando   Si más los de Extremadura
                somos en todo extremados,
                  y en semejantes desvelos
                hay quien afirma, y no mal,
                que Amor nació en Portugal,
                y en nuestra patria los celos.
                  Éstos, huyendo ocasiones,
                que con sospechas maltratan,
                son tales que se recatan
                de sus imaginaciones.

Vivero   Los que traigo ejecutivos,
                puesto que no tan avaros,
                me obligan a provocaros,
                entre otros, por dos motivos.
                  La envidia de vuestra fama
                es el uno, porque temo
                que siendo con tanto extremo,
                me olvide por vos mi dama;
                  el otro, la enemistad
                que causa la competencia.
                Hablan de vuestra experiencia,

esfuerzo y capacidad,
con tanta ponderación,
cuentan de vuestras hazañas
tan inauditas y extrañas
cosas, que fábulas son.

Dicen que en el occidente
vuestro ánimo varonil
mataba de mil en mil
los indios, y que su gente,

temblando el nombre español,
por deidad os adoraban,
y que en fe de esto os llamaban
primogénito del Sol;

que un ejército vencisteis
vos solo, sería de estopa,
pero sin armas, ni aun ropa,
a poco riesgo os pusisteis;

que en la hazañosa prisión
del bastardo Ataباliba,
sobre las andas en que iba
hallasteis de oro un tablón

que pesaba dos quintales,
y que el rey por redimir
su prisión, hizo venir
cargados de los metales,

que han hecho tantos delitos,
sumas de indios, que llenaron
el salón, que señalaron,
de tesoros infinitos,

y puesto que sin provecho,
obligaros pretendió,
desde el suelo se atrevió
el oro y plata hasta el techo.

Que en el Cuzco despojasteis

un templo al Sol, cuyo muro
de tablones de oro puro
guarnecido, aún no apagasteis

    la sed, que avarienta hechiza,
y que en otro de la Luna
os concedió la Fortuna
vigas de plata maciza,

    tan grande, que las menores
de cuarenta pies pasaban,
que unos huertos le adornaban,
cuyas plantas, yerbas, flores,

    con propiedad prodigiosa,
troncos, ramos, hojas, frutos,
peces, pájaros y brutos,
imitando en cada cosa

    la misma naturaleza
era todo de oro y plata.
Sume el que en números trata
si puede, tanta riqueza,

    o vos, que fuisteis testigo,
con los demás castellanos,
que hasta las trojes y granos
del maíz, que es vuestro trigo,

    de ciento en ciento arrimadas,
oro afirma, quien las sueña,
hacinas había de leña
al natural imitadas;

    que siendo de este metal,
sólo para ostentación
de su vana religión,
agotaron el caudal

    al Sol que produce el oro,
esmeraldas se quebraron,
que doce libras pesaron;

atrévense a tal tesoro
　las novelas de estos días,
con que la verdad se infama.
¿Leyó la crédula dama
libros de caballerías,
　que osasen contar quimeras
tan indignas de creer?
Pues como cada mujer
juzga estas burlas por veras,
　y agrada todo lo nuevo
y a cada dama en Medina,
que tiene en vos imagina
un caballero del Febo,
　un Artús, un Amadís,
y que si os llega a obligar,
en dote le habéis de dar
tres o cuatro Potosís;
　aumentáis este deseo
con las suertes que lograsteis
en los toros que matasteis,
y en lo airado del torneo.
　La dama que socorristeis
os confiesa obligación,
su hermana os muestra afición;
de toda la plaza oísteis
　aplausos, que hasta los cielos
vuestra alabanza subliman,
y sólo a mí me lastiman
penas, envidias y celos.
　Yo adoro a una de las dos,
que me obligó a preguntaros
cuál de ellas bastó a prendaros;
y pues no alcanzo de vos
　noticias, que me encubrís,

tampoco quiero deciros
su nombre, que intento heriros
por los filos que me herís;
    mas aseguraros puedo
que, puesto que no admitido,
no me quejo aborrecido.
Entre Medina y Olmedo,
    mi patria, la vecindad
y frecuencia de sus nobles
suele hacer con lazos dobles
parentesco la amistad.
    Ésta, y amor que me abrasa,
me ha obligado a que recele
el riesgo que causar suele
un competidor, y en casa,
    a esperanzas que de fuera;
marchitándolas en flor,
como es frecuencia el amor
distante se desespera.
    Sólo un reparo procura
mi resolución honrada,
que es por medio de la espada,
probar con vos mi ventura;
    pues muriendo a vuestras manos
gano en lugar de perder,
con quien supo merecer
tantos laureles indianos;
    y si os doy, por dicha, muerte,
que estos lances son acaso,
toda vuestra fama paso
a mi venturosa suerte;
    pues dando nuevo valor
al esfuerzo, siempre han sido
las hazañas del vencido

despojos del vencedor.

Fernando   Desacertados desvelos
mi cólera han provocado.
puesto que quedo vengado
con haberos dado celos;
    mas porque advirtáis cuán lejos
me tenéis de castigaros,
quiero en lugar de enojaros,
serviros con dos consejos.
    El uno es, que en ocasiones
semejantes, procuréis ser,
antes que os empeñéis,
señor de vuestras acciones,
    pues si contra el ofendido
os arrojáis destemplado,
el reñir desbaratado
es lo mismo que vencido.
    El segundo, que primero
que toméis resolución,
averigüéis la ocasión
con que sacáis el acero;
    porque arriesgar vida y fama
sin certeza del agravio,
ni es acción de pecho sabio
ni medrará vuestra dama,
    sino es la publicidad
que con desdoro indiscreto
en ofensa del secreto
eclipse su honestidad.
    Respetos de la hermosura
piden atento el cuidado,
que honor y vidrio quebrado
nunca admiten soldadura,

40

y las de quien huesped fui,
que de hoy más no lo seré,
conservan el suyo en pie
de suerte, que es frenesí
   imaginar, que conmigo
den átomos de ocasión
a vuestra imaginación;
porque es el cielo testigo,
   que puesto que he examinado
por lo exterior los afectos,
que dentro el alma secretos
no siempre encierra el cuidado,
   jamás en la que es mi dueño
pudo un descuido o mudanza
dar alas a mi esperanza;
porque el agrado risueño
   que una mujer principal
muestra al huésped de valor,
si es el regalo mayor,
no por eso da señal
   con que, pasando de raya,
su amor intimarle pueda;
que quien sin agrado hospeda
dice al huésped que se vaya.
   Ya os constará, según esto,
cuán poco seguro estoy
de que preferido soy
a vuestro amor; mas supuesto,
   que con empeños mayores
se agravian vuestros recelos,
que el cuerdo no pide celos
si antes no adquirió favores,
   porque yo éstos no os impida,
os doy mi fe de buscar

color con que despejar
la casa, si agradecida
   no profanada por mí,
o ausentándome mañana
a vuestra sospecha vana
satisfacer. Mas si así
   aun no basto a aseguraros,
ya veis que el puesto y la hora,
de vuestra dama desdora
la opinión que ha de obligaros.
   Volved cuando enmudeciendo
la noche lenguas al día,
honeste vuestra porfía
con valor y sin estruendo,
   que a las doce, sin dar nota
la gente que nos ve,
en el terrero estaré
del Castillo de la Mota.

(Vase don Fernando.)

Vivero   Este hombre juntó al valor
la prudencia y el respeto;
obligando en lo discreto
da en lo valiente temor;
mas yo con celos y amor,
¿cómo podré en su alabanza
desbaratar mi venganza
mientras no supiere de él
que no es mi doña Isabel
el blanco de su esperanza?
   Colijo por conjeturas,
que quiere bien donde vive,
pero ignoro a quien recibe

por dueño de sus venturas,
si de las dos hermosuras
me encubre la qué me toca,
lo que me niega su boca,
mi industria averiguará,
que con celos mal podrá
ser muda la deidad loca.

   Esta noche ha de aguardarme
como ofrece en el terrero;
buscar un amigo quiero,
que en esto pueda ayudarme.
¿Qué mucho, que atormentarme
llegue el dudar y el temer?
mi opuesto rico, mujer
la causa de mi cuidado,
él todo oro, ella Mercado,
y Amor comprar y vender.

(Vase Vivero. Salen doña Isabel y doña Francisca.)

Isabel   Aquí entre la amenidad
de estos álamos, que son
del castillo guarnición,
que vivimos, si es verdad
   que Amor gobierna tu seso,
y yo merezco saber
quien te llega a merecer,
me vuelve a referir eso;
   que estuve poco advertida
en casa a tu relación,
en fe de la turbación
que puso a riesgo mi vida.
   Parece que el huésped nuestro
te ha dado en que desvelar;

vuélveme, hermana, a contar
estas novedades.

Francisca   Muestro
          en declararte, Isabel,
mi pecho, el último afeto
que te tengo.

Isabel   Amor secreto,
aunque seguro, es cruel.

Francisca   Digo, pues, que desde el día,
que este hechicero Pizarro
me deleitó en lo bizarro
y obligó en la cortesía,
          di lugar a pensamientos
que hasta entonces sosegados
ya quieren amotinados
ser causa de mis tormentos.
          Consideré su valor,
y que, Alejandro segundo,
conquistando un nuevo mundo
se le dio a su emperador.
          Bastaba esto para hacerle
señor de mi voluntad.
¿Qué hará pues mi libertad
si esta tarde llego a verle
          aplaudido de las damas,
envidiado de los nobles,
añadir con suertes dobles
dicha a dichas, fama a famas?
          De todo el pueblo querido,
de la Fortuna amparado,
de la plaza celebrado,

de los cobardes temido,
    y, en fin, de tu vida dueño,
pues sola amparada de él,
nos hizo, doña Isabel,
deudoras de tanto empeño.
    ¿Qué más quieres que te diga?
Saca tú por consecuencias,
si discurres, evidencias,
que no quiere que prosiga
    la lengua, corta en hablar,
si larga el alma en querer.

Isabel   Mucho te llego a deber,
pues quieres por mí pagar
    deudas que yo sola debo;
pues si bien nuestros cuidados,
si obligan mancomunados,
yo que el mayor logro llevo
    de esta usura, era razón,
que este empeño asegurase,
y liberal te sacase
de tan nueva obligación.

Francisca   ¿Pues amas a don Fernando?

Isabel   No; pero si es acreedor,
y tú le tienes amor
por eso, ya estoy culpando
    mi remiso natural,
y que en deudas semejantes
a la paga te adelantes
siendo yo la principal,

Francisca   ¡Ay!, hermana, esos desvelos

si no envidia, celos son.

Isabel   Primero entra la afición
y ésta abre puerta a los celos.
   Don Fernando ocupa agora,
más que en nuestros galanteos,
en la guerra sus deseos,
que Marte no se enamora
   mientras que no se desnuda
el arnés todo rigor;
mándale el emperador
que otra vez al Perú acuda,
   y si se ha de partir luego
y aquí de prestado está,
¿quién duda que apagará
tanto mar tan poco fuego?

Francisca   No sé que el mar le consuma;
que si en Chipre se crió
Amor, su madre nació,
perla en nácar, de su espuma.
   Pero, ¿qué te importa a ti
que yo me exponga a su olvido?

Isabel   Ver, Francisca, que has querido
pagar finezas por mí;
   y desearte empleada
en seguras profesiones,
sin que llores dilaciones,
antes viuda, que casada.
   Que gozos que no aseguran
no se deben pretender
y hay rosas que al parecer,
deleitan pero no duran;

luz de relámpago breve,
Sol y flores por febrero,
amistad de pasajero,
bebida en julio, de nieve,
    y presunción de belleza
que al espejo se ha mirado,
son como amor de soldado
que se acaba cuando empieza.

Francisca   Nunca tan moral te vi;
mas celos, Isabel mía,
son todos filosofía
y leen cátedra por ti.
    Pero mi hermano y el dueño
de nuestra conversación,
están aquí.

(Salen don Alonso Mercado y don Fernando.)

Fernando   La ocasión
insta, y el plazo es pequeño;
    mándame el César que al punto
me parta, amigo, a embarcar,
mañana pienso marchar.

Mercado   Daisnos don Fernando junto
    el gozo y los sentimientos;
menos mal hubiera sido
el no haberos merecido
nuestro huésped.

Fernando   Son violentos
los preceptos de la corte.

Mercado	¿Pues por qué dan tantas prisas?
Fernando	Reinan agora las brisas en los piélagos del norte; y, si esperamos las calmas de julio, es flema penosa.
Mercado	Con prisa tan rigurosa nos lleváis tras vos las almas. Góceos, Medina, siquiera esta semana.

Fernando	Han llegado
	camaradas, que he obligado
	a este viaje, y quisiera
	  que con cuatro compañías
	que llevo a esta embarcación
	no hiciese la dilación,
	como suele, demasías.
	  Ya sabéis cuán fácilmente
	la gente se desbarata,
	y cuán mal los pueblos trata
	en que se alojan.

Mercado	Urgente causa dais. ¿Qué hemos de hacer? Hablad a mis dos hermanas.
Fernando	Las perfecciones humanas que en ellas merecí ver, han de hacerme mal pasaje con su memoria.
Mercado	Ojalá

48

la prisa que el César da,
amigo, a vuestro viaje,
   fuera menos que mi intento
imaginaba obligaros,
si alguna pudo inclinaros,
a que fuésedes de asiento
   dueño, y no huésped de casa.

Fernando   ¿Qué más dicha, a haber en mí
              méritos que no adquirí
              y la fortuna me tasa?
                 Empleos más generosos,
              don Alonso, las buscad,
              que merece su beldad
              dos Césares por esposos.

Francisca   ¿No nos daréis permisión,
              hermano, para llegar
              a agradecer y pagar
              tan precisa obligación
                 como al señor don Fernando
              Isabel y yo tenemos?

Isabel   Avaro de suerte os vemos
              en esta parte, ocupando
                 el tiempo todo con él,
              que estoy por pediros celos.

Mercado   Pedídselos a los cielos,
              que envidiosos, mi Isabel,
                 nos le ausentan.

Isabel   ¿Cómo? ¿Cuándo?

Mercado	Mañana si a resistillo no bastáis.

Isabel	Este castillo,
	si fue, señor don Fernando,
	  limitada habitación
	que os regaló cortamente,
	ya, desde hoy, por delincuente,
	os servirá de prisión;
	  porque obligar dando vida
	y sin que se satisfaga
	rehusar admitir la paga,
	si no igual agradecida,
	  ni dar término al aprecio
	que pide tanta importancia,
	o es género de arrogancia,
	o especie de menosprecio.

Francisca	No es posible que queráis deslucir tan razonado favor, como ha interesado mi hermana, si os ausentáis.

Fernando	Antes, señoras, pretendo
	no añadir obligaciones
	que os confieso en ocasiones
	que os estoy tantas debiendo;
	  porque el servicio pequeño
	que esta tarde os satisfaga
	favor fue, que se me haga,
	y yo el deudor de su empeño,
	  que, a no animarme el temeros
	en el peligro en que os vi,
	¿qué dicha o suerte hubo en mí

50

que no confiese deberos?
    Vos guiasteis el acierto
de mi espada agradecida,
porque a quedar vos sin vida
el perderla yo era cierto;
    y pues con aquel favor
mi dicha aplausos mejora
y siendo vos mi acreedora
me empeñéis vuestro deudor,
    no me culpéis si adelanto
mi ausencia por no aumentar
deudas, sin poder pagar.

Isabel
Quedándoos por el tanto
    nos contentará la prenda.

Francisca
Preso estáis y ejecutado.

Fernando
Soltadme, pues, en fiado,
que donde falta la hacienda
    es bien que se le permita
irla a buscar al deudor.

Isabel
Conforme fuere el fiador
que nos deis.

Fernando
                Si se acredita
    mi palabra, yo os la empeño
de volver de aquí a dos años.

Isabel
Largo plazo, pero extraños
los intereses del dueño.

Mercado
    La paciencia hará por él

lo que en Jacob por su dama.

Isabel   Por que no ilustra la fama
              lo que padeció Raquel.
                  ¿Por ventura era menor
              el tormento que sufría?
              Jacob engañó con Lía
              dilaciones de su amor;
                  Raquel sola con más fieles
              finezas dilató engaños.

Mercado   No son catorce dos años,
              puesto que sí dos Raqueles
                  mis hermanas, que fiadas
              en vuestra palabra y fe,
              os aguardarán.

Fernando   Tendré
              hasta entonces represadas
                  esperanzas, que después
              cumpláis, don Alonso, vos.

Mercado   Sí, ¿más en cuál de las dos
              fundáis las vuestras?

Fernando   Cortés,
                  la modestia siempre cuerda,
              teme mi feliz fortuna
              que por señalar la una
              la gracia de la otra pierda;
                  y así, guardando el decoro
              que debo, afectos mitigo
              pues —ioh don Alonso amigo!—
              que al paso que la una adoro

tengo a la otra respeto.
Mis camaradas están
aguardándome y tendrán
quejas justas, que, en efecto
   dejan su patria por mí,
si a visitarlos no voy,
permitidme que por hoy
los acompañe, que así
   cumplir finezas podré
con que el noble amigos gana.
Volveré por la mañana,
y en prendas os dejaré,
   de la palabra que he dado,
un alma que en compañía
del favor y cortesía
que en vos he experimentado
   estará en su natural,
pues dando, señoras, muestra,
que empeñada es prenda vuestra
no habréis de tratarla mal.

(Vase don Fernando.)

Isabel   ¡Qué apacible!

Francisca   ¡Qué discreto!

Mercado   Soledad nos ha de hacer;
pero, en fin, si ha de volver,
dichoso dueño os prometo
   a la una de las dos.

(Vase Mercado.)

Isabel	Tráigale el cielo con bien.
Francisca	Si los efectos se ven del alma, y Amor que es Dios penetra los corazones, perdido se va por mí.

Isabel	Nunca yo crédito di,
	Francisca, a equivocaciones;
	    y si bien no me ha debido
	finezas de bien querer,
	no por eso he de perder
	la parte que me ha cabido
	    en el amor que confiesa;
	que de ingrata me notara
	si su amor menospreciara.

Francisca	Será por lo que te pesa de ver que de mí se agrada.
Isabel	Antes quedo persuadida. que al paso que presumida has de correrte burlada.

(Vanse las dos. Salen don Gonzalo de Vivero y Padilla.)

Vivero	¿Ya vienes enterado en lo que has de decirle?
Padilla	Ya he estudiado tu pensamiento todo. Yo he de llegar a hablarle, mas de modo, que crea que imagino, que te hablo a ti.

54

Vivero	Sacarle determino, Padilla, de esta suerte, si a mi Isabel adora, o con su muerte asegurar desvelos.
Padilla	Valiente es, pero más lo son los celos; daréle de tu dama el fingido recado, pues si la ama fuerza es que sentimientos manifiesten ocultos pensamientos, que gatos y celosos desatinos despiertan con sus quejas los vecinos.

(Sale don Fernando.)

Vivero	Éste es sin duda.
Padilla	Sea.
Vivero	Aquí me aparto, porque no me vea. Padilla, sé discreto y averigua, ingenioso, este secreto; que si sirve a la dama de mi prenda, señor puedes llamarte de mi hacienda.

(Retírase Vivero.)

Fernando	Las once el reloj ha dado; ya vendrá mi opositor; qué poco duerme el Amor con sospechas desvelado.

(Llégase Padilla embozado y habla a don Fernando.)

Padilla	Don Gonzalo de Vivero,
	doña Isabel, mi señora,
	como los celos no ignora
	que os ha dado el forastero,
	me previno a que saliese
	a este sitio a aseguraros.
	¡Harto se holgára de hablaros!
	Mas si su huésped viniese,
	que aguardan para cenar,
	ocasionará malicias;
	mándame que os pida albricias,
	y bien me las podéis dar,
	porque se parte mañana
	el estorbo que teméis.
	Si de su boca queréis
	informaros, la ventana
	frecuentada os dará audiencia,
	volviendo antes que se ría
	la Aurora, madre del día.
	Añadid a la paciencia
	que hasta agora habéis tenido
	la que os pide hasta este plazo,
	que harto siente el embarado
	que estas noches ha impedido
	el hablaros, pues sin vos
	no hay cosa que la consuele.
	Ya sabéis por donde suele
	hablaros; volved y adiós.

(Vase Padilla.)

Fernando	De inadvertido tercero
	se fió esta vez el Amor;

basta, que mi opositor
es don Gonzalo Vivero.
¡Ah, cielos! No tan severo
quisiera yo el desengaño;
pues aunque cure este engaño
mi perdida libertad,
tal vez en la enfermedad
hace el remedio más daño.
    ¡Amor! ¿Celos al partirme?
¿Desengaños por la posta?
¡Qué mala ayuda de costa
para poder divertirme!
¡Qué bien hice en resistirme!
¡Qué mejor en recelarme!
¡Qué cuerdo en no declararme!
¡Qué ignorante en detenerme!
.....................[-erme]
¡Qué infeliz en ausentarme!
    Privilegiada creía
de Amor la honesta beldad
que amé, pero en esta edad
con ellas nace y se cría.
Creer que hay plaza vacía
en bellezas con sazón,
es ignorante opinión.
Pretendan amantes tiernos
en damas, como en gobiernos,
la futura sucesión.
    Yo dejaré malograda
mi memoria inadvertida
como prenda que se olvida
al salir de la posada.
Doña Isabel obligada
a don Gonzalo, ha deshecho

maquinas que, sin provecho
ni locura edificó,
que amándola antes que yo,
no he de usurparle el derecho.

(Sale Vivero.)

Vivero   Con mis intentos salí,
mis dudas certifiqué,
sus querellas escuché,
su discreción advertí.
Sentenciado ha contra sí
la razón me favorezca
sola esta vez.

(Llégase a don Fernando.)

No os parezca
que descuidado o cobarde
os vengo a buscar tan tarde.

Fernando   No lo es mientras no amanezca,
si bien primero que vos
cierto desengaño vino,
que siendo nuestro padrino
en paz nos puso a los dos.
Don Gonzalo de Vivero,
de cierto aviso he sabido
que quereis y sois querido;
y en esta parte prefiero
la justa acción que tenéis,
porque yo, puesto que amante
de vuestra dama, ignorante
del favor que poseéis,

aunque os fui competidor
hasta este punto, no he dado
indicios de mi cuidado,
ni he merecido favor

de que poderme alabar
que me haya a vos antepuesto.
Pero tengo, fuera de esto,
algunas quejas que os dar;

que el noble favorecido
de su prenda, tan sin tasa,
que a las rejas de su casa
cada noche es admitido,

con damas de jerarquía
como la que vos servís,
mientras que ni veis ni oís
desdoros, no es cortesía

ni fineza de discreto
arrojaros a creer
de ella lo que pudo ser,
ni aún lo que es, si está secreto;

pues mientras tuvisteis de ella
imaginación tan vana
la sospechasteis liviana
que sobró para ofendella;

y la mujer principal
que recatada y honesta
su voluntad manifiesta
a quien se la muestra igual,

es, la vez que se declara,
tan a fuerza de rigores,
como afirman los colores
que amanecen en su cara.

Esta ofensa es suya y mía
porque contra la elección

que hizo en ella mi afición,
sospechasteis que podía
   inconsiderado amar,
llevado de su hermosura,
dama tan poco segura
que se pudiese mudar.
   Ofenderla y ofenderme
son dos delitos en uno,
pero no es tiempo oportuno
este de satisfacerme;
   que quiere ya amanecer
y os espera vuestra dama
donde otras veces mi llama,
que no llegó a merecer
   lo mucho que envidio en vos,
quiere servirla hasta en esto,
habladla, que en este puesto,
en vez de reñir los dos,
   he de alcanzar con su hermano,
puesto que hoy he de partirme,
que vuestras dichas con irme
y os dé de esposa la mano.

Vivero   Puesto que en todo bizarro,
don Fernando generoso,
intentéis salir airoso,
celos del valor, Pizarro,
   mas que de doña Isabel
mudaron los de mi amor,
ya yo os soy competidor,
no en la dama sino en él.
   Ni doña Isabel me espera,
ni el recado, que en mi nombre
os dieron suyo, os asombre;

60

que todo esto fue quimera
  de mi sospecha inventada
para averiguar la prenda
que adoráis, ni esto os ofenda,
ni la victoriosa espada
  enmiende temeridades
ya reformadas en mí,
los hidalgos brazos sí
que eternicen amistades.
  Restauraos a la esperanza
que mi envidia os malogró;
que no he de competir yo
con quien en todo me alcanza;
  vos siipisteis merecerla,
en las fiestas obligarla,
en los peligros librarla,
en la opinión defenderla;
  vos reprimís mis pasiones,
yo me doy por convencido,
que más fama han adquirido
que las armas, las razones.
  Al Perú he de acompañaros,
ésto habéis de concederme.

Fernando
Si cortés queréis vencerme,
amigo, intento imitaros.
  ¡Hoy habéis de ser esposo
de doña Isabel, por Dios!

Vivero
¡Vive el cielo, que si en vos,
con los demás generoso,
  falta esta virtud conmigo;
que aquí me habéis de quitar
la vida. Ya no sé amar;

ya en vuestra milicia sigo
  las armas; que el ocio infama.
¡O darme muerte o seguiros!

Fernando   Con la vida he de serviros,
             y...

Vivero   No digáis con la dama,
             que esa os toca de derecho.

Fernando   Ya mi camarada os nombro.

Vivero   Con tal blasón seré asombro
             del nuevo mundo. Esto es hecho.
               Amaneció con el día
             la dicha que apetecí.
             ¿Qué es esto?

(Tocan a marchar.)

Fernando   Vendrán por mí
             marchando la compañía,
               que, con otras, por mandado
             del César, mandé alistar.

Vivero   ¿Luego, hoy habéis de marchar?

Fernando   Tengo el tiempo tan tasado,
               que es fuerza que de esta villa
             salga al punto. Preveniros
             podéis despacio, y partiros
             a la posta, que en Sevilla
               os aguardaré, si acaso
             no mudáis de parecer.

Vivero	Ni a Olmedo tengo de ver,
	ni apartarme un solo paso
	de vos. Joyas y dineros
	traigo, que es la prevención
	de más provecho y sazón.
Fernando	Siendo los dos compañeros,
	todo cuanto yo poseo
	por dueño propio os tendrá.

(Tocan, y sale Castillo.)

Castillo	Deseosa la gente está
	de marchar.
Fernando	Pues su deseo
	cumplamos; mas despedirme
	de don Alonso, es precisa
	obligación.

(Sale don Alonso de Mercado.)

Mercado	¿Tan de prisa,
	don Fernando, sin decirme
	el cuándo? Este disfavor
	las leyes de agravio excede.
Fernando	Deudor que pagar no puede,
	la cara huye al acreedor.
	Así, excuso sentimientos
	de partirme y de dejaros.

(Salen a una ventana doña Isabel y doña Francisca.)

Mercado	Mis hermanas han de daros
	quejas justas, y escarmientos
	al amor que os han tenido.
	A la ventana os están
	culpando.

(Don Fernando les hace cortesías.)

Fernando	Disminuirán
	querellas, si han advertido
	que volviéndolas a ver,
	la jornada han de estorbarme;
	porque hablarlas y ausentarme
	¿cómo, amigo, podrá ser?

Mercado	Para todo halláis salida;
	no sé qué regalo os hacen,
	si los cortos satisfacen,
	de ropa blanca, en partida
	tan breve, nunca se labra
	lo que la obligación pide,
	pero como no se olvide
	su amor y vuestra palabra,
	desvelaránse las dos
	por gozar vuestra venida.

Fernando	Quien bien quiere tarde olvida;
	adiós, caro amigo.

Mercado	Adiós.

Fin de la primera jornada

JORNADA SEGUNDA

(Tocan a guerra cajas y clarines, batalla dentro y fuera entre indios y españoles. Sale don Fernando con rodela y espada desnuda.)

Fernando
          ¡Ea, valor de España;
asombro de la envidia,
ésta es, sin ejemplar, única hazaña,
más gloria ha de ganar quien con más lidia!
Trescientos mil y más son los contrarios,
menos somos nosotros de trescientos,
ya están, en ordinarios
asaltos semejantes, los alientos
de vuestro esfuerzo heroico acostumbrados
a ejércitos vencer desbaratados.

(Sale don Gonzalo Pizarro del mismo modo.)

Gonzalo
          Aunque la tierra brote más que yerbas
bárbaros atrevidos;
aunque las nubes lluevan multitudes,
sus cervices protervas,
sus arcos presumidos,
trofeo han de ilustrar nuestras virtudes.
Pizarro soy, ¿qué importa
que infinidades vengan,
que en el Cuzco imperial sitiados tengan
trescientos mil a menos de trescientos?
Mil nos caben por uno;
ojalá que añadiera
la fama. por crecernos nuevas famas,
más bárbaros que arenas a Neptuno
en su cerúlea esfera
su piélago, que espumas y que escamas

faltara de esta suerte
papel a las historias,
plumas a las victorias
y vidas que quitar después la muerte.

(Sale don Juan herido en la cabeza.)

Juan

La sangre de esta herida
de modo me acrecienta
el valor, el esfuerzo, los deseos
que a gota cada vida
de idólatras vencer mi fama intenta.
Cuidadoso interés de mis empleos
—¡oh, invicto don Fernando!
¡oh, Gonzalo, blasón de Extremadura!—
mi espada, vuestros hechos envidiando,
os intenta imitar; más ¡qué locura
pretenderme igualar a los bizarros
alientos que hoy he visto en vuestro acero,
si de cuatro Pizarros
soy el menor hermano!

Fernando

Y el primero,
en el valor, de todos,
laurel de España, triunfo de los godos.

Gonzalo

Don Juan ¿estáis herido?

Juan

Un dardo arrojadizo en la cabeza
probar ha pretendido
si soy mortal; no es nada.

Fernando

Fortaleza,
don Juan, que no acompaña la cordura

| | no es fortaleza, llámase locura. |
| | Retiraos porque os cure el cirujano. |

| Juan | ¿Qué es retirar agora? |

| Gonzalo | Mirad que os desangráis. |

Juan	Soy vuestro hermano,
	sangre en mis venas suficiente mora;
	apretadme este lienzo,
(Apriétansele.)	que harta me sobra si con ella venzo.

| Fernando | Haced, Juan, lo que os digo. |

Juan	¿Qué cura pueden darme
	cuando con tanta suma el enemigo
	nos intenta oprimir? ¿Qué han de aplicarme,
	si aquí la plaza de armas es botica,
	la cama el arrimarse al muro o pica,
	y ungüentos contra flechas y lanzadas
	enjundias de los muertos que quemadas
	y en hilas embebidas
	antes crecen que curan las heridas?

Fernando	Don Juan, vuestra persona
	importa al César más que mil soldados,
	añadid este imperio a su corona;
	los ímpetus con tiento sazonados,
	pintan a las hazañas la obediencia,
	que no hay victorias donde no hay prudencia.
	Retiraos a curar.

(Sale don Gonzalo Vivero.)

Vivero   Pizarros fuertes,
                        guardad para ocasión más acertada
                        las vidas que amenazan vuestras muertes,
                        si hoy no hacéis una bella retirada.
                        El Inca rebelado, de la sierra
                        que en los Andes el paso al viento cierra,
                        marcha con tres ejércitos, y en ellos
                        cuando contar su multitud intenta
                        se pierde la aritmética en la cuenta.
                        La fortaleza que del Cuzco asilo
                        de todo el orbe asombro,
                        avergonzó pirámides al Nilo,
                        y como Atlante al cielo arrima el hombro,
                        ganó el bárbaro fiero.
                        Doscientos mil la guardan y presidían;
                        trescientos sois, no más, y aunque os envidian
                        los nueve de la Fama, vuestro acero
                        intentará imposibles contra tantos
                        ocasionando la piedad a llantos.

Fernando   Vivero valeroso,
                        ¿ése es consejo digno de la fama
                        que vuestro pecho alienta generoso?
                        ¿Que huyamos, nos decís, cuando nos llama
                        sangre española, varonil denuedo?
                        ¿Vos de Castilla sois? ¿Vos sois de Olmedo?
                        ¿Qué recelo el valor os descamina?
                        Acordaos que en Medina
                        tuvisteis las victorias, que ganaron
                        los que este imperio al César conquistaron,
                        por deslucida hazaña,
                        y el blasonar España,
                        vencer gentes desnudas y sin ropa,
                        cuando lo sospechábades, de estopa.

68

¿Cómo, pues, en tal lance —ioh gran Vivero!—
si son de estopa los teméis de acero?

Vivero   Yo, don Fernando ilustre,
no temo, no recelo, no rehúso,
dar a mi patria lustre,
desde que el cielo y la amistad me puso
a vuestro invicto lado,
y en la milicia soy vuestro soldado.
Un año ha, que el gobierno
del Cuzco moderáis. ¡Ojalá eterno
en vos se perpetuara!
Un año también ha, que el indio ciego
ni en pérdida repara
ni sabe descansar, pues Troya al fuego
de sus flechas, de noche, arrojadizas
ya la que fue ciudad, yace cenizas.
Cuántas veces la Luna,
recién nacida en plateada cuna,
nos la muestra el mes nueva,
rebelde el Inca su fortuna prueba
y granizando de esas formidables
sierras, que el cielo intiman obeliscos,
llueven diluvios, bárbaros sus riscos,
de gentes, si en la suma innumerables,
en su tesón constaiites, de tal suerte,
que lo menos que temen es la muerte.
Diga la Fama la atención, la envidia
si mientras vuestro brazo vence y lidia,
yo inseparable a vuestro airoso lado
me podré blasonar vuestro soldado.
Luego no es temor éste, es experiencia
que me supo enseñar vuestra prudencia.

Fernando	Valeroso Vivero,
	sabio argüis y peleáis guerrero.
	Mas cuando se aventura
	la fama, el retirarse no es cordura.
	El marqués don Francisco, que está en Lima,
	me fió esta ciudad y está a mi cargo;
	si después del peligro y sitio largo
	que un año hemos sufrido,
	el Inca ve, que de temor infame,
	a Lima hemos huido,
	¿qué maravilla que después derrame
	arrogancias, y haciéndose insolentes
	los indios, se prevengan,
	y el ánimo español en poco tengan,
	con que añadiendo al daño inconvenientes
	y haciéndose la empresa más terrible
	restaurarla después nos sea imposible?
	¡No hermanos, no Vivero!
	¡Morir por la honra y por la fe primero!
Juan	Eso es lo que yo digo.
	¡Al asalto, famoso don Fernando,
	crezca en la multitud nuestro enemigo,
	no en la fortuna que te está adulando!
	¡Volvamos a ganar la fortaleza!
Todos	¡Al asalto, al asalto!
Fernando	ésa es fineza de Extremadura sola.
	¡Al asalto, señores,
	que si hasta aquí triunfantes vencedores,
	la Fortuna esta vez es española!
	Don Juan, en la cabeza una celada
	ampare vuestra vida.

Juan   Dolerá con su estorbo más la herida,
                        ¡Al arma, al arma amigos!
                        ¡Hazañas de unos y otros sean testigos
                        del esfuerzo invencible castellano!

Fernando   Hállenos el marqués, aunque es mi hermano,
                        de suerte victoriosos
                        que tenga envidia.

Gonzalo   Amigos valerosos,
                        inmortalíceos hoy la justa guerra.

Unos   ¡Santiago!

Otros   ¡Al asalto!

Todos   ¡España cierra!

(Peléanse otra vez y vanse todos. Sale el Inca y algunos indios con arcos y flechas.)

Inca   Si mi inmenso padre el Sol,
                        si a soberana Luna
                        mi madre, si la Fortuna
                        parcial al nombre español
                          dejasen hoy de ayudarme,
                        hoy que tal ocasión tengo,
                        hoy que en el Cuzco prevengo
                        victorioso coronarme,
                          dudaré de su deidad,
                        creeré que estos españoles
                        son, contra el Sol, muchos soles
                        que eclipsan su claridad.

La fortaleza, prodigio
del mundo en cuyos cuidados
todos mis antepasados,
desde el primero vestigio
    levantaron hasta el cielo,
pues su cabeza imperial
de la Luna pedestal
osa a su globo su vuelo
    es ya mía; conquistóla
mi fogosa juventud,
la lealtad, la multitud,
contra la fama española.
    Acabe yo de arrancar
estas reliquias pequeñas,
estas Pizarras, o peñas,
hijos abortos del mar;
    ponga yo por timbre y orla
las armas que en ellos busco,
vuelva a coronarme el Cuzco,
ciña mis sienes su borla.
    Tres ejércitos combaten
por tres partes, la pequeña
cantidad de hombres, que enseña
en cada cual muchos Martes;
    ciento de ellos, en cada una
contra cien mil, mis vasallos
a soplos pueden matallos.
¡Ínclito Sol, madre Luna,
    no les deis vigor, ni aliento!
¿Trescientos mil? Aunque fueran
hormigas los consumieran;
mas aristas lleva el viento,
    más flores a la guadaña
rinden de un golpe los cuellos.

        ¡Mis indios, al arma, a ellos!

Uno (Dentro.)   ¡Santiago, cierra España!

Inca   ¡Emprended fuego en las casas
con armas arrojadizas!
En el Cuzco son pajizas;
resuélvanse, pues, en brasas.
   No haga el incendio distinto
el sexo, que el rigor priva.

Uno (Dentro.)   ¡Viva el Inca!

Muchos (Dentro.)   ¡Venza y viva!

Otros (Dentro.)   ¡Viva el César Carlos quinto!

Inca   Al cielo las llamas llegan;
diluvios de fuego son;
los gritos, la confusión
y el humo turban y ciegan;
   hasta las esferas sumas
lamen llamas las estrellas.
¡Oh, si muriesen en ellas
los hijos de las espumas!
   Los Viracochas expulsos
por no sufrirlos el mar.
¿Hasta cuándo han de triunfar
formidables sus impulsos?
   ¡Ea, mis indios leales,
aquí el valor, aquí el celo!
Un Viracocha del cielo
con milagrosas señales
   llega atropellando nubes

73

sobre un bruto que, de nieve,
es rayo en lo airoso y leve.

(Baja de una nube sobre un caballo blanco Santiago armado como le pintan,
y húyenle los indios.)

iOh, tú que bajas y subes
  y vestido de metal
que cual plata resplandece
y España en minas ofrece
para nuestro fin fatal!
  ¿quién eres que, todo luz,
tan pasmoso estrago has hecho?
¿Quién eres tú cuyo pecho
rubí y grana honra la cruz?
  ¿Quien eres tú, que estoy ciego
y absorto de ver tu estrago?

(Desaparécese el Apóstol.)

Todos   El Apóstol Santiago
                         nos da favor.

Inca   Todo el fuego
                           que el Cuzco empezó a encender,
                         ya ineficaces sus brasas,
                         volando sobre las casas
                         va apagando una mujer.

(Nuestra Señora, con una limeta de agua, se aparece rociando las llamas y
volando por encima de los muros.)

Su resplandor, su belleza
deidad soberana arguye,

a su hermosa presencia huye
el fuego, a su fortaleza;
   reconocido el Sol mismo
tiembla de ver su arrebol.
No es Sol ya con ella el Sol,
que ésta es de luces abismo;
   ésta que Aurora le ensalza,
que en las armas es Belona
que de estrellas se corona,
que Sol viste y Luna calza;
   enfrena los elementos,
postra ejércitos armados,
afemina mis soldados,
llamas hiela y pisa vientos.
   Huir, mis indios, huir,
que no hay multitud que asombre
a un hombre solo, si es hombre
quien aires sabe medir,
   a una mujer que, sin alas,
paloma cándida vuela,
águila imperial asela,
sacre pone al cielo escalas.
   ¡Ah, Sol cruel! ¿Este pago
es bien que tu hijo reciba?

(Vanse el Inca y los indios.)

Unos (Dentro.)   ¡La Virgen Aurora viva!

Otros (Dentro.)   ¡Viva el Apóstol Santiago!

(Desaparécese Nuestra Señora. Sale don Fernando y don Gonzalo Pizarro.)

Fernando   Con socorro tan feliz

¿qué teme España leal
si al Cuzco, corte imperial,
socorre una Emperatriz?
Rinda la torpe cerviz
el idólatra, pues tantas
maravillas vemos, santas,
Virgen en tu protección,
que no es nuevo que el dragón
sirva escabel a tus plantas.

　　Huya el voraz elemento
su presencia consagrada,
como el bárbaro la espada
que Marte vibra en el viento,
salió el rayo y fue instrumento
del triunfo, que Dios predijo,
pues Diego del trueno es hijo
que el celo de España aprueba,
y hoy en milagro renueva
las victorias de Clavijo.

Gonzalo　　　　　Dedíquese a tu alabanza
este Orbe —ioh gran protector—
pues capitán pescador
truecas la caña en la lanza;
anime nuestra esperanza
la Aurora del Sol suprema;
que, a pesar de la blasfema
canalla, Diego y María,
ésta, nieve, el fuego enfría,
rayo aquél, bárbaros quema.
　　¡Gran milagro!

Fernando　　　　　No habrá duda
desde hoy, contra envidia tanta,

76

de que esta conquista es santa,
pues Dios nuestra empresa ayuda;
que para que quede muda
la lengua del que se atreve
a decir, torpe y aleve,
que injustamente poseemos
este imperio, ya tenemos
fe que lo contrario pruebe.
    No ayuda a la tiranía
Dios, que a la inocencia ampara;
luego nuestra acción es clara,
pues su Madre nos la envía.
Si arguyere la herejía
del holandés rebelado
contra esto, del cielo armado,
Diego, asombrando sus ejes,
con llamas castiga herejes,
que es inquisidor soldado.

(Sale don Gonzalo de Vivero.)

Vivero   No sabe venir el gozo
sin pensiones de pesares;
templó el cielo con azares
el nuestro —itriste destrozo!—
murió el más gallardo mozo
de la primavera humana
murió Juan Pizarro —ioh, vana
esperanza de los hombres!

Fernando   Ni te entristezcas ni asombres
de quien lo que pierde gana.
    Juan, todo valor y celo,
en el mundo no cabía.

Esta victoria le envía
por su embajador al cielo.
Guíe el católico vuelo,
sin que envidie a Elías el carro,
y en sus esferas, bizarro,
muestre con lauros segundos
que como acá nuevos mundos
conquista cielos Pizarro.

Vivero   Asaltó la fortaleza
sin admitir la celada,
y partióle, desarmada,
medio risco la cabeza.

Gonzalo   Si quien a la fe endereza
sus acciones, y dedica
la sangre que califica
a la ley que le ennoblece,
nombre de mártir merece.
Juan sus triunfos sacrifica.
   No con tristezas estorbos,
Vivero amigo, sus medras;
Esteban fue, entre las piedras,
protomártir de los orbes.
Muerte, aunque las vidas sorbes,
no la fama, no el valor;
Juan, en conquista mayor
y en fe de lograr su suerte,
piedras en rubíes convierte
coronado vencedor.

Fernando   Vamos, y al cadáver demos
festivas aclamaciones,
no arrastrándole pendones,

no las cajas destemplemos;
con aplauso le enterremos,
que es el más debido pago
con que su fe satisfago,
pues con más noble trofeo
para su milicia, creo
que le escogió Santiago.

(Vanse todos. Salen Guaica, india, y Castillo.)

Guaica   Pídeme lo que quisieres
                        y déjale con la vida.

Castillo   No te canses.

Guaica   Si ofendida
                        me dejas, si con mujeres
                          no eres cortés, ¿qué blasona
                        tu generosa nación?

Castillo   Juzgarásme requesón
                        por lo blando de corona.
                          No hermana; de las almenas
                        echó un risco, no sé quién,
                        sobre Juan Pizarro...
(Llora ella.)   ¿Que me enternezcan tus penas?
                          Muerto el joven más valiente
                        que de España vio el Perú,
                        llorona de Belcebú,
                        ¿cómo podré ser clemente?
                          En la cabeza le hirieron;
                        murió en él la gentileza;
                        no ha de quedarme cabeza
                        de cuantas se le atrevieron,

que esta tarde no herodice.
Fuera toda petición,
toda gesticulación,
todo llanto doratice,
    pues no me cupo del saco
sino las vidas que quito;
éste es general delito,
hermosa, fondo en tabaco,
    no me arrumaques, que el perro
de tu cacique galán
ha de morir.

Guaica   ¿No podrán,
alma de bronce, de hierro
    de diamante, alma de risco,
contigo llantos? ¿No ruegos?

(Llora.)

Castillo   ¡Oh, tengas los ojos ciegos
pedigüeño basilisco!
    Pon a tus congojas calma;
cese, limitando enojos,
el aguavá de tus ojos
que me salpican el alma.
    Ya soy piadoso, ya humano,
no llores más —¡pesia a tal!—
que en cada ojete u ojal
pasa mi amor un pantano;
    no llovizmes, no des gritos,
que a ver Madrid tus enojos
celebrara en tus dos ojos
dos fuentes de Leganitos.
    El indio que patrocinas

¿es tu marido?

Guaica   Serálo.

Castillo   ¿Bodas de futuro? ¡Malo!
               Con celos me desatinas.
                   ¿Estás intacta?

Guaica   No entiendo.

Castillo   ¿Si estás ilesa, incorrupta,
               o el consonante de fruta
               te meretriza?

Guaica   Pudiendo
                 hablarme claro, ¿por qué
               vocablos oscuros usas?

Castillo   Han dado en esto las musas
               castellanas.

Guaica   Ya yo sé
                 tu lengua. porque serví
               a un español más de un año.

Castillo   ¿Uno y doncella? Es engaño.

Guaica   Mi honestidad defendí,
                 bien que mi dueño intentó,
               con regalos y ternezas,
               obligarme a sus finezas.

Castillo   Si un año te finezó,
                   serás racimo en la parra,

que aunque a la apariencia sano,
llega el tordo y pica un grano;
llega el paje y otro agarra;
   y el matrimonio espantajo,
por más que en su guarda vele,
de puro picado, suele
hallar sólo el escobajo;
   que entre melindres ariscos
dicen que dispensan miedos
mordiscones de los dedos
que llama el vulgo pellizcos.
   Consiénteme, si a tu amante
redimes la vejación,
que siendo yo el postillón
corra la posta delante;
   que en negando a pies juntillas
degollación ha de haber.

Guaica   No querrás de una mujer
—¡oh, español!— que de rodillas
   su honestidad te encomienda,
ser lascivo violador.
¿Rescatarle no es mejor?
Cien barras vale mi hacienda,
   tu incendio, ilícito, aplaca
que yo, te haré dueño de ella.

Castillo   ¿Cien barras? ¡Oh, la más bella
Inca, Cacica, Curaca,
   Mametoya, Palca, Chica!
¡Oh, serafín noguerado
que, parienta del Tostado,
al Sol te tostó mi dicha!
   ¿Son las barras de oro?

Guaica	Y puro;
	mil pesos vale cada una.
Castillo	Tú eres el Sol, tú la Luna:
	¿Cien mil pesos? Compro un juro,
	un mayorazgo opulento
	que me ensanche el coranvobis
	o para el pobilis vobis,
	vita bona, un regimiento.
	A cargas el chocolate;
	y dos coches echaré
	que es el venite post me
	de toda dama tomate.
	¿Dónde está lo barretudo?
Guaica	Guardado está en ese pozo,
	que viendo nuestro destrozo
	la prisa y miedo no pudo
	en otra parte esconderlo.
Castillo	¿Y está el pozo en seco?
Guaica	Sí.
Castillo	¿Podré atisbarlo de aquí?
Guaica	Si te asomas podrás verlo.
Castillo	Pues si te amaba, primero,
	haz cuenta, ya a lo seguro,
	que mi amor fue vino puro
	y dio con el tabernero;
	aguó mi incendio ese pozo;

tu amante te doy por él.
Eres honesta, eres fiel.
¡No me cabe dentro el gozo!
　　Deja que a verle me asome,
que luego tu indio vendrá
y a sacarlo bajará.
El barreamiento me come
　　más que usagre, y se me agarra
del alma. ¿Cien barras? ¿Ciento?
Entraré en mi ayuntamiento
hinchado de barra a barra.

(Asómase y cógele por los pies y échale dentro.)

　　　　Mientras no soy su mirón...
¡Me muero! ¡No puedo más!
¡Ay, que me ahogo!

Guaica　　　　　　　　Allá irás
con toda la maldición.
　　Busque el oro tu codicia
que no has de hallar, pues te infama.
Apague el agua la llama
de tu insaciable avaricia;
　　y libre al amante mío
la industria de mi poder,
que el ingenio en la mujer
suple las armas y el brío.

(Vase Guaica. Salen Peñafiel, Chacón, que saca una soga, Granero, y soldados.)

Peñafiel　　　　　　Ahora, Chacón, que están
capitanes y soldados

en el entierro ocupados
del malogrado don Juan,
   y que los indios huyeron,
nunca acá vuelvan, amén,
que partamos, será bien,
las barras que nos cupieron,
   y las piezas de oro y plata
en el saco de esta fuerza.

Chacón   Como la codicia esfuerza
y en las Indias nadie trata
   de pelear y vencer
sino por volver a España,
a costa de tanta hazaña,
rico, y vivir a placer;
   porque lo que hemos pillado
se escapase del montón,
que en común repartición
al cobarde y esforzado
   no hace el premio distintos,
ni don Fernando ordenase
cual suele que se sacase
lo que al rey le toca en quintos,
   mientras todos peleaban
de ese pozo lo fié.

Granero   ¿Qué decís?

Chacón   Industria fue
que mis arbitrios alaban.
   Una petaca está llena
de piezas que dos arrobas
pesarán. ¿Dos dije? ¡Y bobas!
Deposítelo en su arena

85

que es poca el agua que tiene.
Fácil será de sacar.

Granero   ¿Quién por ello ha de entrar?

Chacón   Yo que lo escondí; aquí viene
                    soga, que entrambos me atéis.

(Ponen la soga en el carrillo del pozo.)

Peñafiel   Aplicadla a la garrucha.

Chacón   No es menester fuerza mucha
                 para que de mí tiréis,
                    y de la petaca luego
                 que también tiene un cordel.

Peñafiel   Bien dicho. Ataos.

(Átanle la soga a la cinta.)

Chacón   Peñafiel,
                 tirar con tiento y sosiego,
                    que es hondo, y en peña viva,
                 no peligre la cabeza,

Peñafiel   Yo os aseguro esa pieza;
                 entrad, que en volviendo arriba
                    se hará la partija igual.

Chacón   Santíguome, lo primero.

Granero   Buen ánimo.

Chacón	Andrés Granero, vuélvame Dios al brocal.
Granero	¿Pues, tembláis?
(Vanle metiendo.)	
Chacón	Miedos me ofenden de morir en años mozos, porque hay diablos monda pozos que no sueltan, aunque prenden.
Peñafiel	Hacerles la cruz.
Chacón (Dentro.)	Quedito.
Peñafiel	Asíos a los agujeros de alrededor.
Chacón (Dentro.)	Compañeros, en oyendo el primer grito tirar aprisa, que puede darme un pasmo la humedad.
Granero	Perded cuidado y bajad.
Chacón (Dentro.) (Da un grito.)	¡Fuego de Dios, cómo hiede! ¡Ay!
Peñafiel	¿Qué es eso?
Chacón	¡Ay!
Granero	¿Qué sentís?

Chacón (Dentro.)	Tres diablos que de los pies me tiran.
Granero	¿Burláisos?
Chacón (Dentro.)	¿Tres? Trescientos. ¡Ay! ¿Hola? ¿Oís? Aprisa, tirar, tirar.
Peñafiel	¿Y la petaca?
Chacón (Dentro.)	Conmigo va también; tirar os digo, si no me queréis dejar desde la cintura abajo conventual de este pozo.

(Van tirando.)

Granero	Mucho pesa.
Peñafiel	Será el gozo mayor, si es oro.
Chacón	De cuajo me arrancan las pantorrillas, treinta diablos de los pies me cuelgan, acabad, pues, que o son lagartos, o anguillas, o duendes de estas cavernas.

(Llega arriba el medio cuerpo.)

Peñafiel	Libre estás, deja fatigas.
Chacón	Tirad, mas veréis las ligas que me autorizan las piernas.
Granero	¡Jesús!
Peñafiel	El diablo es.
Granero	¡Qué feo! Fuego arroja.
Peñafiel	Huye, Chacón.

(Tiran hasta sacarle todo el cuerpo hasta la garrucha y sale asido de sus pies Castillo y sale todo embarrado cara y manos, y atada una petaca a la cintura.)

Chacón	¿Y el oro?
Peñafiel	Será carbón y duende suyo el que veo.

(Vanse huyendo los tres.)

Castillo	Todo mal viene por bien; la codicia me empozó y ella misma me sacó por siempre jamás amén. ¡Oh Mamacoya bellaca! ¿Así rescatas, maridos? ¡Creed en llantos fingidos...! El cordel de la petaca que el que huyó quiso sacar y yo desde abajo así

al cuerpo me revolví,
su peso les dio pesar,
  que estaba llena de plata
y de oro los escuché;
no en balde al pozo bajé
ni mintió la Coya ingrata,
  puesto que pensó burlarme;
guardémoslo, que es mi vida.
¡Oh venturosa caída
que así supo levantarme!
  ¡Oh mondapozos buscón,
que aunque no eres santo, sacas
del purgatorio petacas
como cuenta de perdón!
  Pues ya tus sufragios gozo,
el pozo a escribir me obliga
una comedia que diga,
diga: «Mi gozo en el pozo».

(Vase Castillo. Salen don Fernando y Gonzalo Pizarro.)

Fernando   Ya en Indias más seguras,
don Juan, si malogrado
al mundo, al cielo flor que se traspone,
conquista luces puras
que no altere el cuidado,
la envidia eclipse, ni el pesar baldone.
Ya goza en quieta paz feliz tesoro,
ni en plata minas, ni en arenas oro.
Cenizas su sepulcro,
reliquias de las llamas
de su valor, no olvidos deposita.
Al elemento pulcro;
cuantas cenizas deja, tantas famas

90

vuelan, donde el temor no las limita,
que el polvo humano a las regiones sumas,
si es generoso llega, aunque sin plumas.
Allí privilegiado
de envidias y parciales,
ni competencias ni mentiras teme;
no idolatra al privado,
no adula tribunales,
donde la ingrata dilación blasfeme;
que porque el gozo sin pensión le asista
lo mismo le corona que conquista.
¡Qué triunfos inmortales
no le ofrecen diademas,
que adquirió por sus hechos, por su fama,
cívicas y murales!
Las sienes le guarnecen ya supremas
de encina y oro de laurel y grama.
¡Mil veces venturosa valentía
que a Dios el premio, no a los hombres, fía!

Gonzalo   Mi hermano, aunque difunto,
vivirá eternamente
en el buril, pincel y en la memoria;
heroico siempre asunto
de historiador valiente,
pos deja en testamento esta victoria,
que supo, en, fin, su no imitado acierto
dar vivo imperios y victorias muerto.
Pero ya que él descanza
y nosotros al daño,
al peligro, Fernando, siempre expuestos,
sin que la quietud mansa
permita en todo un año
dar en paz al arnés ocios honestos.

¿qué es lo que aquí esperamos? ¿Qué adquirimos
si poco a poco, en fin, nos consumimos?
A la corte española,
navegando dos mares,
te llevó la lealtad, no la codicia;
allí la augusta bola
doraste con millares
de barras que logró nuestra milicia.
¿Qué premios adquiriste?
¿Qué medras o qué cargos nos trajiste?
Un pedazo de grana
te satisfizo el pecho
cuando la sangre es tanta, que has vertido,
ya herética, ya indiana,
que pudiera teñir a su despecho
cuantas Grecia a monarcas ha teñido.
Por cierto, ¡ilustre pago
la cruz, sin encomienda, de Santiago!
¿Necesitaba de ella,
quien de la estirpe goda
puede al Sol dar limpieza en la que crías?
Tu antigüedad, sin ella,
es tan inmemorial a España toda,
que en ti son siglos lo que en otros días.
¿Qué calidad el César te acrecienta
si el hábito te ha dado y tú a él la renta?
Trujístele un dictado
a tu hermano. ¡Gran cosa!
Darle por ser marqués, este hemisferio.
¿Mide el globo romano
tierra tan espaciosa
como el Perú, o iguálala su imperio?
¡Marqués sin renta, bien podré decillo,
es fantástico honor, marqués de anillo!

Almagro sí que medra,
su agente tú en España,
dichas que compres caras algún día;
ese hijo de la piedra,
que más que ayuda engaña,
de Chile adelantado y señoría.
él, ¿qué arriesgó? Seguro despensero,
si las vidas nosotros, su dinero.
Su interés premie Carlos;
por ti solicitadas
ejecutorias, honras y favores,
que tú, sin negociarlos,
cuando nos persuadas
a empresas de más riesgos y más sudores.
podrás decirnos, para engrandecerlas,
que el más honroso premio es merecerlas.

Fernando   Gonzalo, ¿cómo es posible
que el ánimo os satisfaga
si, por el premio o la paga,
hacéis el valor vendible?
Hasta este punto invencible,
ya os habéis afeminado,
que quien hace interesado
cuando de su esfuerzo fía
las hazañas, granjería,
mercader es, no soldado.
   Hágase al plebeyo igual,
pierda de noble la ley,
quien a su patria a su rey
le sirve por el jornal;
que el generoso, el leal,
el premio que ha de adquirir
es la fama hasta morir,

y ésta estriba en pretender
merecer, por merecer,
servir solo por servir.
    Fui a España y a Carlos quinto
le presenté este occidente,
y ya veis si del presente,
lo que se vende es distinto.
Cuanto esta zona, este cinto
ciñe, y abraza este mar
le di, no había de tornar
coria paga, a no ser necio,
que lo que no tiene precio
mejor se está sin premiar.
    En Almagro el César doble
gobiernos, que ha de menester;
cobre él, como mercader,
sírvale yo, como noble.
De estéril laurel y roble
coronó la antigüedad
al valor y a la lealtad,
y de infructífera grama,
en prueba de que la fama
sólo busca eternidad.

(Sale don Gonzalo Vivero.)

Vivero   Porfía hasta que nos venza
la Fortuna siempre brava;
a penas un riesgo acaba
cuando otro mayor comienza,
    Almagro y quinientos hombres,
por que tu fama aniquile
deja el gobierno de Chile,
y añadiendo aleves nombres

a su bajo nacimiento,
porque nos cree destrozados
en los peligros pasados,
toma con el Inca asiento
y se conciertan los dos
de echarnos de esta ciudad.

Fernando   No creas de su lealtad
que, contra su rey y dios,
ejecute acción tan loca.

Vivero   Porque en la fe no consista
certifíquete la vista.
Dice que el Cuzco fe toca,
porque en la demarcación
de su gobierno se encierra;
apercíbete a la guerra,
o teme tu perdición,
porque con las cajas mudas
nos asalta descuidados.

Fernando   Ánimo, pues, mis soldados,
satisfagamos sus dudas,
primero, con las razones,
y si éstas no le vencieren
las armas son las que adquieren
victorias contra traiciones.
Yo sé que si llego a hablarle
le tengo de convencer.

Gonzalo   ¿Para qué? Déte poder
y vuelve a España a premiarle;
que todo esto merecemos
pues dimos honra a un ingrato.

Fernando	Gonzalo, no es ese trato de vuestro valor; marchemos.

(Vanse. Salen indios, el Inca y Juan de Rada, soldado español.)

Inca	Vuelve a leerme, español,
	eso que escribe tu Almagro,
	que no es el menor milagro
	que debo a mi padre, el Sol;
	    pues si él, y los que le siguen
	al Cuzco me restituyen,
	y eternas paces concluyen
	que mis desgracias mitiguen
	    mi esperanza conseguí.

Rada	Por tu ocasión ha dejado a Chile el adelantado.

Inca	Débole infinito. Di.

(Lee Rada la carta.)

Rada	«Don Diego de Almagro, mariscal adelantado del Perú, a Manco Inca, príncipe del Cuzco, salud, etc. La amistad antigua que los dos hemos profesado, los desafueros que con vuestra alteza los Pizarros han hecho, el gobierno, que me pertenece, de esta provincia y el deseo de que vuestros indios os vean coronado, me saca de Chile, me guía al Cuzco, y me asegura la victoria contra nuestros enemigos. Aperciba vuestra alteza sus ejércitos, que

yo avisaré a su tiempo, para que los dos en
recíproca amistad poseamos este imperio,
muertos los que nos le estorban. El mensajero
merece entero crédito y él informará por
extenso lo que no fío de la pluma. Guarde
Dios a vuestra alteza, etcétera. De mi campo
a 10 de mayo, año 1534. El Adelantado»

Inca   Si cumple esas promesas
el español Almagro, sus empresas
serán restauración de mi corona,
y él el señor de nuestra indiana zona.
Descansa en nuestro Tambo
mientras los indios, junto de la sierra;
y tú, primo Yucambo,
entretanto que alisto a nueva guerra
ejércitos sin suma
tan numerosa, que al salir armado,
flor a flor, yerba a yerba, cuente al prado,
arena a arena el mar, y espuma a espuma,
asiste a su regalo.

Rada   El cielo te restaure al nuevo imperio.

Inca   Hágalo Almagro.

Rada   Harálo,
librándote del casi cautiverio,
en que desposeído
entre ásperas montañas te ha escondido.

(Vase Rada.)

Inca   ¡Oh, amigos, oh, parientes!

97

¡Qué feliz ocasión, qué coyuntura
nos ofrecen los hados ya dementes!
A los Pizarros desterrar procuran
Almagro y sus soldados.
Ya veis, si los Pizarros son osados
saldrán en su defensa,
pelearán unos y otros,
y, mientras cada cual victorias piensa,
con engañosa prevención, nosotros,
después que se hayan entre sí asolado,
las reliquias, que el miedo haya dejado,
por nosotros desechas, fácilmente
podrá la borla autorizar mi frente.
No del marqués, que en Lima
ha un año que no sabe de su hermano,
el asombro os oprima;
socorrerále, si lo intenta, en vano,
pues tomados los pasos y los puertos
imitarán sus compañeros muertos.
Seiscientos españoles perecieron
que en diferentes tropas enviaba;
porque el riesgo del Cuzco adivinaba,
a vuestras manos bélicas murieron;
que, aunque valientes, locos,
¿qué han de poder contra infinitos, pocos?
El marqués, en efecto, desarmado,
pues los soldados suyos ha perdido,
y uno y otro español desbaratado,
Almagros y Pizarros, redimido
juzgo mi imperio ya, que entre estos cerros
hasta ahora lloró nuestros destierros.

(Sale Piurisa, bizarra, con una lanza, que calada los detiene.)

Piurisa

¿A dónde volvéis cobardes
que de la humana nación
sois oprobio, sois injuria,
sois afrenta, infamia sois?
¿A dónde volvéis vencidos
no del riesgo, del temor,
que os pinta moscas gigantes,
que el ciervo os vende león?
Cuatrocientos mil salisteis,
trescientos, no más, os dio
la fortuna por contrarios,
por vencidos la ocasión.
¿Uno para mil, y os vencen?
¿Y os precias hijos del Sol?
¿Y os atrevéis llamar hombres?
¿Y os blasonáis al valor?
Mentís mil veces, infames,
ni aun átomos os dignó
el viento, que, a merecerlo,
superfluos átomos son
trescientos mil, si se juntan,
para un pequeño escuadrón
de humanos cuerpos, que mueren,
que la tierra alimentó.
Fingid rayos, que del aire
bajaron, poniendo horror
a los ojos con su vista,
con su efecto al corazón.
Decid que un hombre de acero
sobre un bruto más veloz
que del arco la saeta,
que de la cuerda el arpón,
nieve el uno, fuego el otro,
desde la esfera bajó

de esos páramos de luces,
de ese lucido artesón;
atribuidle prodigios
a la espada, que segó
cervices de ciento en ciento,
ellas espigas, ella hoz;
que mientras el miedo os miente
fábulas de torpe error,
y despiertos las soñasteis,
diré, con más verdad, yo
que una frágil mujer pudo,
para eterna confusión
de vuestra naturaleza,
causaros tanto temblor,
que os asombró, desarmada,
que su presencia bastó
a que huyéndola, cobardes,
os infame este baldón,
pues, afeminados viles,
si una mujer os causó
tanto asombro, miedo tanto,
tanto pasmo, mujer soy
que estas montañas defiendo;
las que las viven, y yo,
bastamos con vuestra afrenta
a todo un mundo español.
Volveos, cobardes, servidlos
como esclavos, pues no sois
como hombres para vencerlos;
llevad a cuestas desde hoy
yanaconas de sus damas,
las andas en que su amor
os transforme en simples brutos,
incapaces de razón.

Cultivadles vuestros campos,
coman de vuestro sudor
regalos, que, a vuestros padres
en herencia el cielo dio.
Registrad en los abismos
metales, que, con temor
de la española avaricia
huyeron de su ambición.
Dados a cerros la plata,
y de montón en montón
el oro midan a fanegas,
pues le idolatran por Dios;
Conceded a su apetito
vuestras hijas, que algodón
para sus ropas les tejan,
e infamias para su honor.
¿Vosotros sois descendientes
de aquel celestial varón
que a los planetas monarcas
por padres reconoció?
¿Vosotros al Sol eterno
llamaréis progenitor,
y a la Luna vuestra madre,
del cielo antorchas las dos?
No es posible, no sois incas,
no sus hijos, hombres no,
estatuas sí en forma humana;
aparente imitación
de lo que representáis,
cuerpos sin alma y con voz;
cobardes, aun no mujeres,
que éstas estiman su honor.
No imaginéis que estas tierras
admitan la contagión

de vuestra vil compañía,
que aquí, el ánimo, el valor,
la venganza, la fiereza,
generosa patria halló.
Aquí frecuentan sus riscos
la real águila, el león,
el tigre, el áspid, la sierpe,
y cada cual vencedor
si os comunican recelo
que degenere el blasón
que los dio naturaleza,
y en vosotros se infamó.
No atreváis los pies un paso,
retiraos o —¡vive el Sol!—
que os ensarte, como a peces
en la lanza, mi rigor.

Inca
¡Oh, belicoso prodigio
de este imperio, emulación
del esfuerzo y la belleza,
miedo en uno, en otra amor!
Despertónos asombrados
el acento de tu voz,
canoro bronce del cielo,
de los mortales terror.
Tanto la vergüenza puede,
tanto espíritu infundió
en nosotros la elocuencia
de tu justa reprensión,
que a no templar esperanzas
de coyuntura mejor,
hoy nos previnieras triunfos
o fúnebres llantos hoy.
Almagro es de nuestra parte

y ofreciéndonos favor,
marcha contra los Pizarros,
de estos orbes confusión.
Déjale que asalte al Cuzco,
salga su competidor
vengativo, en su defensa
desbarátense los dos,
destrúyase el uno al otro,
pues quedará el vencedor
tan flaco, que sin peligro
nos aplauda la ocasión.
Y dame agora esos brazos.

Piurisa

No los espere tu amor,
mientras no me los bañares
en sangre del español.

(Sale un Indio.)

Indio

Albricias pido a estos pies,
generoso emperador
de estos orbes, que oprimidos
los cielos restauran hoy,
por las más felices nuevas
que en la desesperación
de un príncipe despojado
jamás la piedad ferió.
Almagro, que a la ciudad
de tus padres fundación
marchó en fe que a su gobierno
blasona tener acción,
fue recibido de paz
de aquel Pizarro, que atroz
parca ha sido de tus indios,

de la envidia admiración.
Tocaban a acometerse,
pero un fraile, que al candor
de la nieve hurtó ropajes
y al cielo veneración,
su apellido Bobadilla,
su ejercicio Redentor,
la Madre Mejor, su madre,
la Merced su religión,
entrándose de por medio
treguas puso entre los dos
de tres días, que juraron,
para que en su disensión
fiasen el compromiso
al padre, porque ganó
nombre de docto en la esfera
y astrólogo superior.
Aposentado en el Cuzco
el Almagro, y sin temor
el Pizarro de que hubiese
en lo propuesto traición,
a su confianza y sueño
los ojos encomendó,
esta vez sólo, desnudo,
que en todo un año, otra no;
la seguridad dormía,
mas velaba la ambición
del Almagro, a su palabra
y juramento agresor.
Ácometióle de noche,
pero intrépido salió
con un estoque y rodela
el extremeño león;
y aunque desnudo, de suerte

a sus contrarios pasmó
que se valieron del fuego,
siempre es cobarde el traidor.
Viéndose abrasar Pizarro
cuerdo las armas rindió
con su hermano y sus amigos
de dos daños el menor.
Huyó Gonzalo y Fernando;
dicen que de la prisión
saldrá a un teatro funesto
sentenciado —ivil rigor!—.
Almagro, pues, determina,
siendo del Cuzco señor,
trazar que muera el marqués
y, tenga justicia o no,
partir los reinos contigo
dándote jurisdicción
en los indios, que heredaste
y él, contra su emperador,
gobernar sus españoles,
porque tiene presunción
de hacerse rey de estas Indias,
sin admitir superior.
Para esto intenta casarse
con tu hermana, y que los dos
una sangre, se eternice
la paz en su sucesión,
sobrinos tuyos sus hijos.
Según esto, ya cesó
el peligro de tus gentes,
porque enlazándoos amor
con tálamos apacibles,
el indio será español
y el español indio nuestro.

Si las nuevas que te doy
merecen premios y gracias
feliz muchas veces yo.

Inca   Toca al arma, vuelta al Cuzco,
que si Fernando murió
no temo a Almagro y su gente.
Mi victoria es su traición;
ya le juzgo destrozado.

Piurisa   Bien puedes; el corazón
alienta que, contra España,
yo sola bastante soy.

(Vanse todos. Salen Castillo y Chacón.)

Castillo   ¿Cómo quieres que se llame
esta acción con que ha manchado
su fama el adelantado?
¿Es mucho decir que infame?
    ¿Es de nobles este trato?

Chacón   Ya sabes que por reinar
cualquier ley se ha de quebrar.

Castillo   Ése es blasón del ingrato.

Chacón   Si a esta ciudad tiene acción,
¿por qué su culpa encareces?

Castillo   Por remitirla a sus jueces
y usar después tal traición.

Chacón   La guerra es de más acierto

si el derecho se la da.

Castillo   ¿Qué derecho alegará
            quien, menos un ojo, es tuerto?

Chacón   Sacósele esta conquista.

Castillo   Mal adquirirá valor
            quien por no mirar su honor
            tiene sólo media vista.

Chacón   En efecto, ¿hoy determina
            darle garrote?

Castillo   El marqués,
            su hermano, sabrá después
            vengarle, que ya camina
                en su socorro.

Chacón   ¿Y qué hace
            don Fernando en tanto aprieto?

Castillo   No desbarata al discreto,
            que, como él, ilustre nace,
                el peligro, tan en sí
            está el valiente extremeño,
            como si esto fuera sueño.

Chacón   ¡Notable valor!

Castillo   No vi
                tan generosa templanza.

Chacón   Blasfemará del rigor

de Almagro.

Castillo   Nunca el valor
dio a los labios la venganza.
    ¿Quieres ver a dónde llega
su prudencia sosegada?
Pues oye. Con Juan de Rada
agora a los dados juega.

Chacón   ¿Qué dices?

Castillo   Esto es verdad,
puesto que éste la sentencia
le intimó.

Chacón   ¿Y eso es prudencia
o loca temeridad?

Castillo   Prudencia, que quien seguro
da la vida por su rey,
por su crédito, su ley,
contra un bárbaro perjuro,
    no es justo que se alborote.

Chacón   ¿Jugar un hombre prudente,
sabiendo cuán brevemente
tienen de darle garrote?
    No, Castillo; no imagines
de su cordura tal flema.
Ésa será estratagema
de más misteriosos fines.
    Hombre tan atento y sabio,
de tan grande cristiandad,
con esa seguridad,

sin dar muestras de su agravio,
  ¿jugando?

Castillo   Y no como quiera;
cien mil pesos ha perdido.

Chacón   ¿Con Juan de Rada?

Castillo   Ofendido
está de él; mas quien espera
  morir, injurias perdona
y no se acuerda de excesos.

Chacón   ¿A la muerte, y cien mil pesos
al juego, y con tal persona?
  No, Castillo; algo ha trazado
que te asombre.

Castillo   Ello dirá.
Mas los dos salen acá
con Alonso de Alvarado.

(Salen don Fernando, Juan de Rada y don Alonso de Alvarado.)

Fernando   Cincuenta mil pesos de oro
me habéis ganado. Ya veis
que si hoy muero no podréis
cobrarlos. Aunque no ignoro
  donde están, que nunca juego
sin tener con qué pagar.
Deme la vida lugar
que os satisfaga.

Rada (Aparte.)   (Si llego

a Almagro, que hace más caso
de mí que de otros amigos,
y templando estos castigos
estorbo a la muerte el paso,
	que a don Fernando amenaza,
le obligo a eterna amistad,
y cobro la cantidad
que pierdo sin esta traza
	¡Cincuenta mil pesos de oro!
¡Cuerpo de Dios! ¿es partida
para no darle la vida?
Si me perdiese el decoro
	el adelantado en esto,
me obligará a algún desgarro,
porque, en muriendo Pizarro
muere mi hacienda. ¡Eche el resto
	mi favor; alto cuidados;
mejoremos de opinión,
que más quiero un patacón
que a dos mil adelantados!)

(Vase Rada.)

Alvarado
	No sé yo, Fernando amigo,
que sea el juego diligencia
buena para la conciencia,
perdonadme si esto os digo,
	de quien siendo tan cristiano
está al umbral de la muerte;
no la teme el varón fuerte,
pero el cuerdo da la mano
	a todo lo que, se opone
al alma y su salvación.

Fernando	Dadme esta vez permisión,
	puesto que amigo os perdone,
	para quejarme de vos,
	pues sin duda habéis juzgado
	o que estoy desesperado,
	o que me olvido de Dios.
	¿Visteis en mi acción alguna
	que me pueda desdorar?
Alvarado	Nunca hallé en vos que culpar,
	fuera de esta, sino es una.
Fernando	Y ésa, ¿cuál fue?
Alvarado	El confiaros
	de Almagro, enemigo vuestro,
	siendo vos tan sabio y diestro,
	de suerte que pudo hallaros
	sin prevención y desnudo,
	durmiendo con el sosiego
	que en Trujillo.
Fernando	No os lo niego,
	ni conociéndolo, dudo
	de que en eso anduve mal;
	pero, si los juramentos
	y treguas son escarmientos
	y no ley tan natural,
	que los bárbaros la guardan,
	¿cómo se ha de conseguir
	la paz?
Alvarado	Suélenla admitir
	respetos, que no acobardan

                    cuando el noble los celebra;
                    más quien padres no conoce,
                    como coyunturas goce,
                    palabras y leyes quiebra.
                        Pero, ¿qué diiculpa'daís
                    a ese juego que os desdora?
(Ríese don Fernando.) ¿Os reís?

Fernando   Sabraislo agora,
                    si un poco, cuerdo, esperáis.

(Sale Juan de Rada.)

Rada   Del juego habemos salido
                    vos y yo tan gananciosos,
                    que vos ganáis vuestra vida
                    y yo, Fernando, vuestro oro.
                    Por mí Almagro os la concede;
                    pero ha de ser de modo
                    que, amigos como primero,
                    la hermandad, olvide enojos.
                    Él mismo viene a ceñiros
                    los brazos, que en vuestros hombros
                    nobles y alegres, pretenden
                    reciprocarse con otros.
                    Salid festivo al encuentro.

Fernando   Esto, amigo don Alonso,
                   satisfaga vuestras dudas,
                   mientras que, en suma, os respondo
                   que, a no jugar no viviera.
                   Juan de Rada, reconozco
                   empeños y beneficios.
                   Pagarélos juntos todos.

(Cajas dentro y sale don Gonzalo Vivero.)

Vivero   Amigo, a vista del Cuzco
asoma en vuestro socorro
el marqués, hermano vuestro;
escuchad los parches roncos.
Vecinos y ciudadanos,
como diversos en votos
diferentes en afectos,
mezclan pesares y gozos.
Pacífico le apercibe
Almagro, hospicio amoroso,
ya temor, ya amistad sea
que fe puede darse a todo,
sus diferencias remite,
al maestro religioso
fray Francisco Bobadilla,
árbitro juez de unos y otros.
Todo esto concede Almagro,
si bien algunos curiosos
dicen que enganaros quiere
y que en cesando el estorbo
del marqués, cuando se vuelva,
resucitará alborotos
que ya por bien, y por mal,
le den el gobierno a él solo.

Alvarado   Salid, pues, a recibirlos,
y escarmentad en vos propio
para los lances futuros.

Fernando   Ya su condición conozco,
vamos, que cuando intentare

nuevos engaños, si enojos
templo y admito amistades,
tarde olvido, aunque perdono.
Guárdese Almagro, no quiebre
las paces, que nunca rompo,
porque, en cayendo en mis manos
ha de pagarme uno y otro.

Fin de la segunda jornada

JORNADA TERCERA

(Salen don Gonzalo de Vivero y doña Isabel.)

Isabel
¡Que pueda tanto el exceso
de la envidia y sus engaños!
¡A cabo de tantos años
en este castillo preso
quién dio a España, al rey y a Dios,
un mundo!

Vivero
Isabel hermosa;
fuera su prisión penosa
a no ser su alcaide vos.
Don Fernando volvió a España
a desmentir enemigos
que, huyendo de sus castigos
en vano, de tanta hazaña
eclipsan el resplandor.
Hánle puesto muchos cargos;
que siempre en servicios largos
se alarga, ingrato, el rigor,
los que en el Perú siguieron
a Almagro, a aquel desleal
contra la corona real
y los que le ennoblecieron.
Ayudó Dios la justicia,
prevaleció la prudencia,
conoció la inobediencia
de quien, con ciega codicia
al Cuzco tiranizaba;
y, viéndole éstos perdido,
preso, confuso y vencido,
cuando esperanzas les daba

de poner infame yugo
a aquel orbe conquistado
y que murió sentenciado
a manos de un vil verdugo,
    persiguen a don Fernando,
que, como gobernador
del Cuzco fue ejecutor
de su muerte, y adulando
    al César —¡ciegos engaños!—
le puso en la Mota preso
y formándole proceso
crece el rigor con los anos.
    Renunció Carlos invicto
a España en su sucesor,
que a estar el emperador
vivo, de tanto delito
    como a Fernando levantan,
averiguara verdades
castigando falsedades
que, lisonjeras, encantan.

Isabel   Quísole el César muy bien.

Vivero   Debióselo a sus servicios,
como pueden dar indicios
los que sin pasión lo ven,
    y saben cuantas riquezas
en el Perú recogió
con que al César acudió,
sufriendo las asperezas
    de los que le murmuraban,
cuando para él les pedía
y a su augusta monarquía
tantas guerras apretaban.

116

Reina en su lugar, agora,
el gran Filipo segundo,
que del uno y otro mundo
es monarca; y como ignora
    quién es don Fernando y quién
el que enemigo le acusa,
rigores severos usa
hasta que se informe bien.
    Yo espero en Dios que, postrados
sus émulos, saldrá el Sol
de tan leal español
libre, a pesar de nublados,
    y que vos, señora mía,
alegréis, siendo su esposa,
esta noche tenebrosa,
como el alba alegra al día.

Isabel   Cuando yo la esperara,
más dé para que os pudiese
pagar, lo que es bien confiese
a amistad tan firme y rara.
    Sumamente lo deseo,
pues podéis atribuiros
los Orestes, los Zopiros,
que con más lucido empleo
    en vos honran nuestra edad,
cuando todos le han dejado,
inseparable a su lado
y asombro de la amistad.

Vivero   No tengo yo otro blasón
que se iguale al que consigo,
de merecer tal amigo.
Pero, decidme, ¿quién son

                    estos que bajan agora
                    de visitar nuestro preso?

Isabel   Dos cortesanos; que en eso
                    la mentira aduladora
                        satisface obligaciones
                    y afectando sentimientos
                    disfraza con cumplimientos,
                    estoy por decir traiciones,
                        pasaron por aquí acaso
                    y entráronle a visitar.
                    Creeréis que esto es maliciar;
                    mas yo que al discurso paso
                        tal vez los ojos y oídos
                    no sé que los escuché
                    a solas, que causa fue
                    de que imaginé fingidos
                        sus ponderados extremos;
                    y porque advirtáis cuan vana
                    es la amistad cortesana,
                    desde aquí los escuchemos,
                        que, sin vernos nos darán
                    de sus intentos noticia.

Vivero   Si así doran su malicia
                    cualquiera vileza harán.

(Retíranse los dos y salen de camino, don Pedro y don Rodrigo.)

Pedro   Compadecíme en los ojos
                    y holguéme en el corazón.

Rodrigo   Más rigurosa prisión
                    merecían los enojos

118

que estos Pizarros han dado
a nuestros deudos y amigos
en el Perú.

Pedro
                    Los castigos
que en el pobre adelantado
    hizo este hombre, no se pagan
con sólo tenerle preso.

Rodrigo
Sustanciárase el proceso,
que porque se satisfagan
    los muchos que allá ofendió
sabrá Filipo el prudente
vengar a Almagro inocente.

Pedro
Bueno es, que quien despojó
    aquel reino de riquezas,
y le llenó de crueldades,
alegre ahora lealtades
y afirme, fueron finezas
    dignas de premio y favor
haber dado aleve muerte
al varón mis claro y fuerte
que tuvo el emperador.

Rodrigo
    Con las alas de su hermano,
¿a qué no se atreverá?

Pedro
Murió Carlos V ya,
con los Pizarros humano.
    Rey tenemos que, severo,
volverá por la inocencia.

Vivero
¿Esto sufre mi paciencia?

Isabel	Don Gonzalo de Vivero reportaos ¿a dónde váis?
Vivero	A poner, si puedo, seso a estos locos.
Isabel	Ved que de eso se seguirá...

Vivero
(Llégase a ellos.)
	No temáis.
	  Grandes amigos serán
	vuesas mercedes, sin duda,
	del preso, pues no les muda
	su peligro, cuando están
	  algunos más obligados
	a compadecerse de él,
	que en el olvido cruel
	y ingratitud sepultados
	  huyendo las tempestades
	las bonanzas lisonjean.

Pedro	Los bien nacidos desean desempeñar amistades en los peligros lucidas si en los gustos granjeadas.
Rodrigo	Correspondencias pasadas, y, agora reconocidas, nos traen a Madrid a ver a don Fernando.
Vivero	Es fineza digna de tanta nobleza;

y a mí me llega a caber
    parte de la obligación
en que a don Fernando ha puesto
su proceder, y en fe de esto,
si se ofreciere ocasión
    en que se sirvan de mí,
no será favor pequeño
acudir al desempeño
de un amigo que adquirí
    a costa de mi lealtad
sin perder jamás su lado.
Dos años fui su soldado
pasando la inmensidad
    del mar del sur y del norte
y en el Perú fui testigo
de hazañas que, si las digo,
a envidiosos de la corte,
    podrán causar confusión
y desbaratar procesos.
Mas ya sabrán sus sucesos
vuestras mercedes.

Pedro   No son
                    para ignorarse estas cosas.

Viveró   ¿Saben que el marqués, su hermano,
              aquel Hércules indiano,
              en las conquistas gloriosas
                  que han rendido al occidente
              fue de los hombres milagro;
              y que don Diego de Almagro
              puso en ellas solamente
                  la industria y la granjería
              de una parte del dinero

121

que, como su compañero
entre otros dos le cabía;
   y que mientras arriesgaba
don Francisco fama y vida,
en tantos trances perdida,
en Panamá descansaba
   don Diego? ¿Y que es bien se entienda,
por quien fe a sus hechos da
la diferencia que va
de las vidas a la hacienda?
   Pues sume el que fuere fiel
si, cuando ajuste partidas,
sacó el marqués más heridas
que maravedises él.
   Y si cuando Almagro entró
en el Perú, ya sin guerra,
preso el Inca, en paz la tierra,
del tesoro se llevó
   la mitad, y en tal empresa
como absoluto señor,
con el ajeno sudor
se halló el manjar en la mesa.

Rodrigo	Todo eso es indubitable.

Vivero	Cuando don Fernando vino
	a España de su camino,
	¿qué premio considerable
	   medró, sino el adquirirle
	título de adelantado
	de Chile, con que elevado
	quiso, después, destruirle?
	   Don Fernando, ¿no tenía
	en el Cuzco justa acción

a aquella gobernación?
Don Francisco, ¿no le había
      nombrado en ella? ¿No saben
que con su valor y acero
la defendió un año entero,
para que envidias le alaben,
      de cuatrocientos mil hombres?
¿No saben que, codicioso,
desleal, ciego, ambicioso,
y digno de infames nombres,
      se concertó con el Inca
contra su patria, su ley,
su amistad. nación y rey,
para que no se distinga
      de un conde don Julián,
de un Bellido, un Galalón
y que, prendiendo a traición,
mientras que treguas se dan,
      a don Fernando, le quiso
dar garrote, y que, después
que vio en el Cuzco al marqués
puso el pleito en compromiso
      de jueces doctos y santos;
pasando por la sentencia,
y que si él, en la apariencia,
después de debates tantos,
      confesó que no tenía
al Cuzco acción ni derecho,
y quedando satisfecho,
partiendo la hostia un día,
      que el marqués y él comulgaron,
juró Almagro: «Este Señor
por perjuro, por traidor,
como los que le negaron,

me condene, si intentare
contravenir al sosiego
de estas paces?». Si don Diego,
aunque la pasión le ampare,
    contra tanto juramento
convocó campo después,
y, vuelto a Lima el marqués,
en bárbaro atrevimiento,
    quebró las leyes divinas,
y a don Fernando siguió
y la batalla perdió
que llaman de las Salinas,
    quedando confuso y preso.
¿No mereció su malicia
que, sin pasión, la justicia
le fulminase proceso
    y como traidor muriese?

Pedro   ¿Pues quién dice lo contrario?

Vivero   El ingrato, el temerario,
el desleal.

Pedro   ¿Quién es ése?

Vivero   El que agora fiscaliza
en la corte sus acciones
y por dorar sus pasiones
testimonios autoriza,
    con que su muerte procura;
el que para consolarle
a la Mota a visitarle
viene, y después le murmura;
    pero, si ignoran quien es,

el que así su opinión mengua,
esta espada será lengua,
si no se me van por pies,
    que con honrosos alardes
para poder convencellos,
les mostrará que son ellos
los ingratos, los cobardes,
    los viles, los para poco...
(Echa mano.)   Saquen el intacto acero...

Isabel   ¡Oh, valeroso Vivero!

(Éntrase doña Isabel y mete Vivero a los otros a cuchilladas.)

Rodrigo   ¡Huye, don Pedro, este loco!

(Salen don Fernando, preso, y doña Francisca.)

Francisca   Dicen, Fernando, que amor,
en fe de ser tan guerrero,
usó las flechas primero
que otro ningún vencedor.
Estaba yo en este error
y viéndoos tan gran soldado
animaba mi cuidado,
porque juzgaba imprudente
que al paso que sois valiente
érades enamorado.
    Crédula, pues mi esperanza,
dos años merecí ser,
vos ausente y yo mujer,
de la firmeza alabanza.
Fundóse mi confianza
en una equivocación,

que os escuchó mi afición,
estando ya de partida,
necia, por mal entendida,
que Amor todo es presunción.
    Volvistes con más laureles
que al mar burlastes espumas
que a escribir se atreven plumas,
que en lienzos osan pinceles;
persecuciones crueles,
de envidiosos conjurados,
cobardes y apasionados,
preso os tienen; querrá Dios
que la verdad triunfe en vos
contra mal intencionados.
    Pero si entre las prisiones
suele Amor causar alivio,
¿cómo, Fernando, tan tibio
dilatáis obligaciones?
Decir que persecuciones
hielan vuestro incendio amante
será disculpa ignorante,
pues sois vos tan dueño de ellas
que aún no alcanza a conocellas
la vista en vuestro semblante;
    más, porque me satisfaga
diréis, que en moneda igual
quien cobra sus deudas mal
peor las que debe paga.
¿Querréis que una cuenta se haga
en vos y en mí, y que perdidos
estemos, no agradecidos,
a costa de disfavores,
si os paga el rey en rigores
me paguéis vos en olvidos?

Fernando

Nunca en tan viles libranzas
satisfizo la nobleza,
ni es bien que de tal bajeza
me arguyan desconfianzas,
cuando hacen ejecución
en el gusto y la afición
si falta, Francisca, el gusto;
aunque pagarlas sea justo
libranzas fallidas son.
Preso yo, y en contingencia
mi fama por tribunales
donde envidias son fiscales
y la pasión quien sentencia;
¿qué mucho que no dé audiencia,
entre pleitos y cuidados
a efectos enamorados,
si Amor en tales empleos
pide ociosos los deseos
y huye los embarazados?
Querrá el cielo que comience
mi inocencia a hacer alarde
de mi lealtad, que aunque tarde
la verdad mentiras vence;
esperad que se avergüence
el engaño, en mi favor,
que para entonces Amor
con seguro desempeño,
os hará de un alma dueño
digna de vuestro valor.
Yo sé, si el cielo me libra,
que no tendréis de mí queja.

(Vase doña Francisca. Sale don Alonso Mercado.)

127

Mercado	Cobardes son las desgracias.
	No es posible que se atrevan
	a acometer una a una;
	juntas como alarbes llegan,
	y eslabonando infortunios,
	tarde acaban cuando empiezan.
	Colegid en mi semblante,
	Fernando amigo, las nuevas
	que es forzoso que os intime,
	aunque se excuse la lengua.
	¡Ojalá nunca esta casa
	vuestro valor conociera!
	Casa que esta medra tuvo,
	nunca de vuestra promesa
	se hubiera cumplido el plazo,
	pues cuando os juzgaba en ella
	hermano, deudo y señor,
	me obligó la suerte adversa
	el rey, mi corta fortuna,
	a que vuestro alcaide fuera,
	y al cabo de tantos años
	preso en esta fortaleza
	quiere ahora... ¡Ah, suerte ingrata!
Fernando	¿Qué es lo que quiere? ¿Qué ordena?
	¿Mándaos, don Alonso amigo,
	que me corten la cabeza?
	¿Salió la envidia triunfante?
	¿Logró ya la pasión ciega,
	con mentiras disfrazadas
	maliciosas diligencias?
	No os congojéis, declaraos;
	que cuando ese premio tengan

mis lealtades y servicios
las historias están llenas
de ejemplos, que pueden darme,
si no consuelos, paciencias.
Escipiones tuvo Roma,
Belisarios lloró Grecia,
y un gran capitán España
con quien compararme pueda.
Todos murieron a manos
del disfavor y aspereza,
y el ser único en desgracias
es la más civil miseria.

Mercado   Propias de vuestro valor
son prevenciones tan cuerdas;
porque el vencerse a sí mismo
es divina fortaleza.
En fe, pues, de lo que alabo
en vos, sabed que ya trueca
caducas felicidades
por posesiones eternas.
El gran marqués don Francisco
la ambición y la soberbia
de un mestizo, de un bastardo,
que a su padre Almagro hereda
las locuras y la envidia
de otros traidores cabeza
le ha dado, sobre seguro,
en Lima, muerte violenta;
y como en los desatinos,
los insultos se encadenan,
contra su rey y lealtad,
amotinando la tierra
tiranizaba aquel orbe,

hasta que los parches templa
el héroe Vaca de Castro,
para que en él resplandezcan,
a un tiempo Marte y Apolo;
en las armas y en las letras,
pues, venciéndole con unas,
con las otras le sentencia,
sobre un funesto cadalso
a muerte que así escarmienta
el cielo temeridades
que la juventud despeñan.

Fernando   Llore tal pérdida España;
que mi hermano no cumpliera
con su valor a morir
de otra suerte. Su tragedia
eternizará su nombre.
Amaneció en él apenas
el uso de la razón,
cuando siguió las banderas
del católico Fernando;
y en Nápoles, dando muestras
de la luz de sus hazañas,
fama añadió a su nobleza.
Contra el rebelde alemán
sirvió al siempre invicto César,
oprimiendo victorioso
desatinos y blasfemias;
pasó después a las Indias
donde sacó verdaderas
las fábulas que de Alcides
hipérboles griegas cuentan;
pues si a los doce trabajos,
que ensalzan tantos poetas,

Hércules quedó divino,
para que los oscurezca
mi hermano, en aquellos orbes
no doce, infinitos prueba,
que crédito harán dudoso
cuando historias los refieran.
Con solo trece soldados,
imitación verdadera
de Cristo y sus doce alumnos,
rindió a su rey, a la iglesia
la infinidad de gentiles,
que por naciones diversas
oprimidos del engaño
habitan más de mil leguas.
Rebeldes venció en Italia;
rindió luteranos belgas;
idólatras en las Indias
por él nuestra ley confiesan.
Faltaba oponerse agora
a la traidora insolencia
del padre y del hijo Almagros,
matáronle en la defensa
de su rey, sus asechanzas,
porque faltando en la tierra
nuevos mundos que conquiste
juzgó su vida superflua
el cielo, entre los mortales,
por esa ocasión le lleva
a los triunfos que le aguardan
pisando glorioso estrellas.
Su muerte la fama envidie,
porque es de algún modo afrenta
que quien vivió entre las armas,
viejo ya, en la cama muera.

Mercado	Decís bien; si a su lealtad
	agora no se opusieran,
	para eclipsar sus blasones,
	descaminadas tinieblas.
	Gonzalo Pizarro dicen
	que aquellos reinos altera,
	y que saliendo en campaña
	mató a Blasco Núñez Vela,
	primer virrey del Perú.
	Duda el rey inteligencias
	que tendréis como su hermano;
	y aunque de la lealtad vuestra
	consta a todos y despacha
	a aquellas parte su alteza
	al de la Gasca, varón
	.... [-e-a]
	de admirable industria.
Fernando	Ya con esas cosas cesa,
	que me lastiman el alma,
	que el corazón me atraviesan;
	me despedazan la vida,
	los rigores de tu lengua
	¿Contra su rey, don Gonzalo?
	¿Mi sangre, aleve en sus venas?
	¡No es posible que sea mía!
	¡Mintió la Naturaleza!
	¿Pizarro y traidor? Alcaide,
	mas fácil será que crea
	que el Sol retrocede líneas,
	que el cielo desclava estrellas,
	que el mar permite pisarse,
	que su inmensidad se seca,

que sus profundos se habitan,
que son flores sus arenas.

Mercado   Esto publica la fama;
si bien hay quien por él vuelva
y al virrey eche la culpa,
cuya condición severa
en las Indias ha imitado
no sé qué ordenanzas nuevas,
que en general perjuicio
mandó ejecutar el César.
Nombróle el reino del Cuzco
procurador, en defensa
de cuantos conquistadores
temen quedar sin la hacienda
que adquirieron sus hazañas,
si estas leyes, de que apelan,
en su agravio se ejecutan
y su valor no se premia;
suplicábale en su nombre
don Gonzalo, que a su alteza
representase los daños
que teme se sigan de ellas,
y que hasta la sobrecarta
suspendiese con prudencia,
protector, amparo y padre,
resolución tan molesta.
Alteróse Blasco Nuñez,
y añadiendo fuerza a fuerza
contra don Gonzalo se arma
y por traidor le condena;
él entonces, en virtud
de una cédula que alega,
de Carlos Quinto en que le hace

133

merced que al marqués suceda
en todo el gobierno indiano,
al virrey se la presenta
intimándole, que en tanto
que en la corte se resuelva
cuál gobierna de los dos,
si jurisdicción suspenda
y deje el dominio libre
a aquel imperio, a la audiencia.
Quiso prender los oidores
Blasco Núñez, y ellos templan
los ánimos alterados
de la plebe y la nobleza,
y, viendo que es imposible,
si al virrey gobernar dejan,
que el rigor de sus pasiones
aquellos orbes no pierda,
a una nave le retiran,
porque en España dé cuenta
al consejo, de los cargos
que ofendidos le procesan.
A don Gonzalo tras esto,
la audiencia el gobierno entrega
hasta que, lo que el rey mande
sobre este punto, se sepa.
Pero el virrey, obligando
a los que preso le llevan,
en Trujillo desembarca,
forma ejército y presenta
la batalla a don Gonzalo
que, junto a Quito, en defensa
de su gobierno y su vida
al virrey despojó de ella.
Si esto es así no es tan grave

su delito.

Fernando   La nobleza,
amigo Alonso, a la sombra
de su príncipe venera,
a sus ministros se humilla,
al nombre de su rey tiembla,
a sus órdenes adora.
Tenga disculpa o no tenga
mi hermano el marqués, que en todo
mereció alabanza eterna,
siempre que en las fundiciones
del oro, la real hacienda
de sus quintos acendraba,
si por descuido, en la tierra
algún grano se caía,
con los labios, con la lengua
del suelo le levantaba
diciendo: «De esta manera
se han de venerar migajas
qué pertenecen al César».
¿Contra el virrey, don Gonzalo?
¿Contra las reales banderas?
¿Contra su nombre y milicia?
¡Ah, cielo! ¡Ah, Fortuna! ¡Ah, estrellas!
Permítame el rey venganzas,
déme a castigos licencia;
haréle pleito homenaje
de dar a esta cárcel vuelta
dentro un año, que yo solo
ocasionaré materias
al espanto, a las crueldades,
a la fama, a la experiencia,
de que si un Pizarro ha habido,

135

uno solo, entre la inmensa
propagación de mi sangre,
que a su príncipe se atreva,
hay otro que, derramando
la que envilece sus venas,
miembros bastardos castiga,
manchas limpia, infamias venga.
¿Agora yo detenido?
¿Preso yo agora? ¡Quién viera
a aquel bárbaro!

Mercado   Fernando,
¿que es de la cordura vuestra?

Fernando   ¿Sin honra, buscáis cordura?
¿Sin fama, queréis prudencia?
¿Sin crédito, áurea templanza?
¿Sin opinión, hay paciencia?
Acrecentará desdichas
la Fortuna, siempre adversa;
añadiera el rey prisiones,
quitárame la cabeza,
y no el honor, don Gonzalo,
que la verdad e inocencia
en el leal, no da fruto
si primero no se entierra.
Mas ya, Alonso, ¿con qué alivio
morirá quien tal bajeza
de su sangre participa?
No, cielos, ninguno crea
que de ese desatinado
los espíritus alienta.
Pizarra sangre es la mía,
engaño la continencia

de quien le parió a mi padre
pues da causa a la sospecha,
la que con unos liviana
que con otros no es honesta.

Mercado   Agora, amigo, aprovechaos
de vuestra templanza cuerda
en la presente desdicha
y advertid, que el rey me ordena
que apriete vuestras prisiones,
y que a ninguno consienta
que os escriba, ni os visite;
como la fe se atraviesa
que debe al rey mi confianza,
ya juzgaréis si me pesa
el haber de hacer alarde
la lealtad de mi obediencia.
Prevenid vuestro valor,
porque según lo que aprietan
émulos, temo que está
vuestra vida en contingencia.

(Vase Mercado.)

Fernando   Estuviéralo la vida
y no la reputación.
¡Ah, cielos! ¡Qué de pensión
paga la fama oprimida!
Felicidad conocida
gozara el hombre, si fuera
como el ángel, y pudiera
de los otros distinguirse
en especie, y atribuirse
a sí solo el mal que hiciera.

En aquel segundo instante
que el ángel de su albedrío
usó, cuando el desvarío
derribó al querub gigante;
su castigo el arrogante
y su premio el obediente
se granjeó solamente
sin tocar en otro alguno,
porque, en fin, era cada uno
de los otros diferente.
    ¿Pues por qué el rigor humano
querrá, con desdoro igual,
que participe el leal
los insultos de su hermano?
¿Gonzalo —¡cielos!— tirano;
y que eclipse su vileza
tanto servicio y nobleza,
tanta lealtad española?
Mas sí, que una mancha sola
destruye toda una pieza.

(Sale doña Isabel.)

Isabel   A despedirme de vos
me traen forzosos extremos;
pues dicen que nos veremos
esta sola vez los dos.
No quiere, Fernando, Dios,
dar a mi amor más reparos,
ni me vende menos caros
los gozos del mereceros,
pues, instantes de poseeros
compro a siglos de lloraros.
    No sin ocasión temía,

al cabo de tantos años,
la ejecución de estos daños,
Fernando, la suerte mía;
lo mismo que apetecía
os rehusaba tantas veces,
no desprecios, ni altiveces,
sino el cuerdo recelar,
que en mí se habían de juntar
el tálamo y las viudeces.

Un año ha que os admití
al nombre de esposo y dueño,
pero muchos que el empeño
de estas desgracias temí;
adivinaba —¡ay de mí!—
la cortedad de mi suerte,
el daño que agora advierte,
y que era lance forzoso
el llamaros vos mi esposo
y el llorar yo vuestra muerte.

No anunciaban mejor fruto,
a advertirlo mi razón,
desposorios en prisión
que solemnidad de luto;
un año ha que os da tributo
la fe que medré en quereros,
porque en mis hados severos
los infortunios y males
son los bienes gananciales
que en dote pude ofreceros.

Fernando   Dos muertes me dio el rigor
con solo un golpe cruel,
vos en el alma, Isabel,
y mi hermano en el honor.

Vos mi esposa, él agresor
contra la fe que he heredado.
Sin la fama, el desdichado
que afrentas cual yo recibe,
de balde en el mundo vive,
mejor parece enterrado.
　　Un año guardó el secreto
gozos, que sin merecer
mi amor, llegó a poseer
y a ocultar vuestro respeto;
si consiguieran su efeto
dichas, que ya adversidades
aumentan riguridades,
esperábamos los dos
libre yo y mi esposa vos
festejar solemnidades.
　　Uno y otro nos ha negado
mi estrella, en todo fatal,
que a ser yo menos leal
no fuera tan desdichado.
Todo el aprieto pasado,
con vos, dulce esposa mía,
tan gozoso me tenía,
que en mi prisión el juzgar
que se había de acabar,
me daba melancolía.
　　Desleal el mundo llama
a mi sangre, y fuera error
tener vos, mi bien, amor
a quien ya no tiene fama;
pega su vicio la rama
a cuanto se le avecina,
sola una piedra arruina
el templo más soberano;

¿qué mucho, pues, si mi hermano
mi crédito ciescamina?
  Máteme el rey, que un consuelo
llevaré en rigor tan grave,
y, es el ver que sólo sabe
nuestros amores, el cielo.
Viviréis vos sin recelo
de perder vuestra opinión,
y yo daré a la pasión
piedades, porque la muerte
dicen que tal vez convierte
la venganza en compasión.

Isabel   Yo sé de mi pena fiera
que antes que llegue esa hora
os prevendré precursora
el sepulcro que os espera.
Seré en morir la primera
y en vuestra patria querida
a donde estoy de partida,
nos enlazará una suerte
los cuerpos, allí la muerte;
las almas, allá la vida.
  Reliquias de vuestro amor
aposentan mis entrañas,
traslado de las hazañas
que en vos malogra el rigor.
Ojalá suerte mejor
que a vos el ciclo la ofrezca,
y en él vuestra fama crezca,
porque a pesar de desdichas,
en el valor, no en las dichas
a su padre se parezca.
  Pero, ¿por qué aumenta enojos

mi pena en vuestros agravios?
Enmudezca el dolor labios
y hablen mis ansias los ojos;
los brazos, para despojos
últimos, llegad a darme.

Fernando   ¡Ay, mi Isabel! Si al dejarme
solo, en tan triste partida
con vos os lleváis mi vida;
no tiene el Rey qué quitarme.
    Pero, ¿acabará consigo
que os auséntéis vuestro hermano?

Isabel   Ya a mis ruegos está llano
en fe de ser vuestro amigo;
una novena le digo
que a Guadalupe ofrecí
por vos, y estando de allí
Trujillo cerca, un convento
podrá honestar el tormento
que es fuerza acabarme aquí;
    si, en tan rigurosa empresa,
preso, el rey manda mataros,
¿qué más dicha que imitaros
muriendo, como vos, presa?

Fernando   ¿Tanto rigor, tanta priesa
al dividirnos los dos?

Isabel   El alma queda con vos,
partir sin ella es forzoso.

Fernando   ¡Ay, luz mía!

Isabel	¡Ay, caro esposo!

Fernando	¡Adiós, mi bien!

Isabel	¡Dueño, adiós!

(Vanse los dos. Salen doña Francisca y Castillo.)

Francisca   En fin, ¿va a Guadalupe
doña Isabel, mi hermana?

Castillo   Ahora
supe que en devotas novenas
de don Fernando intenta aliviar penas.

Francisca   Piadoso es su camino
y el medio soberano;
mas mientras el favor busco, divino,
pretendo yo, Castillo, que el humano
de la industria se valga
porque tu dueño de este trance salga.

Castillo   Las llaves que en la cera
imprimiste, coecharon
de suerte la codicia cerrajera
que, cuando se ensayaron,
adúlteras hicieron
las cerraduras que lugar les dieron.
Pero es tal la entereza
del preso, que tu amor, todo fineza
ver libre solicita,
que dudo que permita
lograr esta agudeza,
porque dirá, que si huye verifica

lo que la envidia falsa de él publica.
Yo a lo menos, señora, no me atrevo
a aconsejarle que su muerte excuse;
pues si las llaves que me des le llevo,
y sabe que a este engaño te dispuse,
mientras que a tus consejos le apercibo,
dudo que de sus manos salga vivo.

Francisca   No creas que la vida,
del hombre sobre todo, apetecida,
cuando en tal riesgo está, tenga en tan poco,
que Fernando esta vez sola sea loco.
No es deslealtad huir persecuciones
de mentiras, engaños y traiciones;
pues vivo tu señor y estando ausente
podrá desengañar al rey, que agora
como empieza a reinar, aunque prudente,
lo mucho que a Fernando debe, ignora,
que el tiempo contra engaños y malicias
es padre de verdades y noticias,
y si la vida cara agora pierde
de los muertos, después, no hay quien se acuerde.
Mas ven, que ya procura
mi amor, Castillo, traza más segura,
con que excusarte quiero
del ímpetu primero
de su enojo.

Castillo   Celebre en tu hermosura,
igual a tu cordura,
España tu valor, para que imites,
del orbe maravillas
cuando a tu amante las prisiones quites
a la que al primer conde de Castilla

sacó libre de riesgo semejante,
fiel a su esposo, como tú a tu amante.

(Vanse los dos. Sale don Fernando.)

Fernando   Tarde, cielos, a ver llego
que ha fundado la virtud
en las honras, la inquietud,
en el trabajo, el sosiego.
Ya con vista, si antes ciego,
puesto que el tiempo perdí,
conoceré desde aquí
que quien vanidades deja
cuanto más de ellás se aleja
más se va acercando a sí.
    Nunca el alma tan cautiva
como cuando, toda sueño,
de otros se imagina dueño
pues de sí propia se priva;
nunca menos discursiva
que cuando en más dignidad,
porque la prosperidad
es madre de la torpeza,
como de la sutileza
la ingeniosa adversidad.
    Esta prisión es mi escuela;
aquí enseña el escarmiento
materias al sufrimiento
que el necio estudiar recela;
aquí el peligro consuela,
la injuria enfrena sus labios,
vence la paciencia agravios
y atropella, sin razones,
que solas persecuciones

sacan discípulos sabios.
  ¡Venturoso aquel que sabe
convertir lo malo en bueno
y transformar el veneno
en antidoto suave!

(Arrójale doña Francisca desde arriba un papel y una llave de loba.)

Francisca   En ese papel y llave,
                     Fernando, hallarás salida,
                     tu reputación y vida;
                     si es que estimas estas dos,
                     sé cuerdo.

Fernando   ¡Válgame Dios!
                     ¿Honra hasta aquí combatida?
                        ¿Llave y papel?
(Cógelo.)   Dos asaltos
                     son del honor más crueles.
                     ¿Cuándo no dieron papeles
                     a la opinión sobresaltos?
                     ¿qué importan los muros altos
                     si un poco de hierro sabe
                     abrir la cerca más grave
                     la traición falseó?
                     Ni, ¿qué puedo esperar yo
                     de un papel y de una llave?
                       Doña Francisca pretende,
                     en fe de lo mucho que ama,
                     que huyendo eclipse su fama,
                     pues su amor lealtades vende.
                     Ignorante el que la enciende
                     de que es mi esposa Isabel,
                     la llave me ofrece infiel

que a mi fuga dé lugar;
mas ni ella me la ha de dar
ni aconsejarme el papel.

(Rásgale y arrójale.)   Lea en pedazos el viento
sospechosas persuasiones,
que quien escucha razones
ya las da consentimiento.
No parezca el instrumento
de esta traición, pues le arrojo.

(Arroja la llave al vestuario.)

Satisfaga el rey su enojo
y sepa que, por no dar
a las malicias lugar,
morir inocente escojo.
    ¿Qué más la envidia quisiera,
sino que huyendo rigores
acreditara a traidores
y verdad su engaño hiciera?
Muriendo, mi fama espera
lo que vivo dificulta;
si mi inocencia está oculta,
resucite mi lealtad
que, aunque entierren la verdad,
la virtud no se sepulta.

(Tocan dentro chirimías y tiran cohetes.)

Mercado (Dentro.)   No quede en la fortaleza
almena que no se vista
de luces; que, innumerables,
con las del cielo compitan,
artificiales cometas

que, inquietando, regocijan,
tinieblas oscuras borden
de impresiones peregrinas;
músicas al vulgo alegren
que puesto que tanta dicha
agüen pesares caseros
lo más a lo menos priva.

Fernando ¡Válgame el cielo! ¿Qué nuevas
son las que al alcaide obligan
a tales demostraciones?
¿De qué será esta alegría?
Siente, como amigo caro,
que envidiosos me persigan,
teme que el rey me dé muerte,
mi inocencia patrocina;
¿y, en medio de estos desaires,
ostentaciones festivas
truecan recelos en gozos
y contentos solemniza?
No sin causa los celebra.

Mercado (Dentro.) Los contentos de esta, vida
para que no den la muerte
con el pesar se limitan.
Celebraremos mañana
las obsequias compasivas
de la malograda prenda
que la Fortuna nos quita.
Córtense lutos groseros
que muestren en mi familia,
con demostración llorosa
mi justa melancolía;
vayan por mí a convidar

la nobleza de Medina,
porque mañana en las honras
deudos y amigos asistan;
prevénganse, para entonces,
órdenes y cofradías;
cubran el templo bayetas;
cera y pobres se aperciban;
el túmulo se levante;
no quede en toda la villa
campana que no se doble.

Fernando   ¡Válgame Dios! ¡Qué distintas
diligencias entretejen
acciones que aterriorizan!
¿fiestas a un tiempo y clamores?
¿Luto y galas? ¿Llanto y risa?
¿Si acaso ha dado la reina
algún infante a Castilla,
de Carlos, príncipe, hermano,
que asegure con su vista
la sucesión de estos reinos?
¿Si las flamencas provincias,
a Filipo rebeladas
le reconocen vencidas?
¡Oh, quiera Dios que algo de esto
suceda, aunque pronostican
las tristezas que previene
trágico fin a mi vida!
Lutos, obsequias, campanas,
una prenda que lastima
a mi amigo don Alonso
con muestras tan compasivas,
¿quién duda de que se ordenan
por mí, y que el rey determina

que esta noche me den muerte
y se vengue la malicia?
«Celebraremos mañana
las obsequias merecidas,
dijo mi amigo el alcaide,
al bien que el cielo nos quita.»
De su amistad me prometo
las finezas, que le obligan
a lo que en estas razones,
su pesar me significa.
Si es así esta noche muero,
quien con el papel me avisa
y con la llave me alienta,
¡bien mis riesgos adivina!
Pude y no quise librarme;
permanezca mi honra limpia
que al morir, tarde o temprano,
es en todos común dita.
¡Ojalá salgamos ya
de las manos de la envidia
y libre de aduladores
vuelva a nacer mi justicia.
Ella ampare mi inocencia
que siempre, de las cenizas
de leales mal premiados,
las verdades resucitan!

(Salen de luto don Alonso Mercado, doña Francisca, don Gonzalo Vivero y Castillo.)

Mercado   Amigo, dispuso el cielo
                   con providencia divina,
                   como las fábulas cuentan;
                   que, en efecto moralizan

150

los sucesos de los hombres,
que imitase nuestra vida
a una tela, que las parcas
de varios colores hilan.
Si todo fuera dichoso,
como siempre desatinan
al hombre felicidades
y al soberbio precipitan,
¿quién con él se averiguara?
Si todas fueran desdichas,
más valiera nacer bruto,
peñasco, o planta sin vida.
Tejió de lanas opuestas
nuestra duración fallida
el influjo de los cielos
que en lo mortal predominan;
ya los males, ya los bienes
mezclan diferentes listas
mas, como aquellos son tantos
poco estotros se divisan.
Fernando, empezar intento
a contar vuestras desdichas,
guardándoos para la postre
nuevas que os den alegría.
Murió Gonzalo Pizarro,
con lástima de las Indias,
a las manos del rigor
que ciego, tal vez castiga,
lo que amigos le engolfaron
en acciones, que peligran
cuando a los jueces se oponen
que el nombre real apellidan,
dejándole al mejor tiempo
imitaron las hormigas

que huyendo las tempestades
la prosperidad esquilman.
Degollóle la entereza
que, atada a la ley, no mira
que el sumo celo en los cargos
sella la suma injusticia.
No pocos son en su abono
que, disculpándole afirman
la lealtad con que a sus plantas
el cetro ofrecido pisa.
Gobernador de aquel reino
era por cédula y firma
del César, y de la audiencia
que vino entonces a Lima.
Si es así, ¿qué deslealtades
los envidiosos le intiman,
cuando, en nombre de su rey,
defiende lo que conquista?
En efecto, en opiniones
la suya está dividida,
si sus émulos le cargan
los benévolos le libran.
No ha dejado descendencia
y así esta mancha no eclipsa
la sangre que de él nos toca.
¡Fenezca en él su mancilla!
Murió —¡ay cielos!— Isabel
de congojas oprimida
que vuestros riesgos causaron,
porque el amor homicida
cuando aquilata finezas
a Roma las Porcias quita,
para que celebre España
como Caria otra Artemisa;

encerróse en un convento
de Trujillo, en que cautiva
por su propia voluntad
dio renombre a sus cenizas;
esposa vuestra se nombra,
yo os la ofrecí, aunque creía
que para tiempos mas claros
el valor que os acredita
los tálamos reservar;
mas, como amor todo es prisa,
no me espanto que en prisiones
congojas su fuego alivia.
La herencia que me ha dejado
es un ángel, en una hija,
perla del nácar honesto
que mi casa ha de hacer rica;
criaréla como vuestra,
pues la carta en que me avisa
que en secreto, os desposó
su calidad legítima.
Yo espero en Dios que por ella
con estrella más propicia
goce España descendencias
que ilustren muchas familias.
Todo esto hasta aquí, Fernando,
es pesar, son compasivas
nuevas, que el alma os congojen,
penas que el pecho os aflijan.
Pero, ya en las tempestades
que os persiguieron prolijas
en San Telmo se aparece
que bonanzas certifica.
Filipo, prudente, santo,
a pesar de las malicias

de vuestros perseguidores,
cuando más os fiscalizan,
conoce vuestras lealtades,
lo que os debe en las conquistas
prodigiosas, que a sus plantas
le postra coronas Incas;
la fidelidad, prudencia
y valor que os eterniza
tanto, que contra los tiempos,
aras la fama os fabrica,
libertad noble os concede,
la hacienda, que detenida
por su fisco y sus embargos
creyó el engaño oprimirla,
que os restituyan ordena,
y la Fortuna corrida,
confiesa que a vuestras plantas
es bien que su rueda os rinda.
A esta causa son las fiestas
que estas comarcas convidan,
si bien, funestos malogros
que de mi hermana nos privan,
mezclan los gozos con llantos,
demostraciones festivas
con lutos que, lastimosos,
compasiones solicitan.
Débeos alardes alegres
mi amistad, ya convertida
en nobles afinidades;
debo a mi Isabel querida
el sentimiento presente.
Llorad pérdida tan digna
de lástimas amorosas,
y alégreos la conseguida

libertad; saldrán a un tiempo
lágrimas, Fernando, ambiguas,
que, afirmando lo que niegan,
derramen pesar y risa.

Fernando   Tan costosa libertad
Alfonso, no es conseguirla,
es perderla. ¡Ojalá el cielo
trocara suertes y viva
mi cara esposa acabaran
con mi muerte apetecida!
Desgracias que agora empiezan
mas fieras y ejecutivas
sin mi Isabel, sin mi esposa.
¿De qué valor, de qué estima
será el vivir?

Mercado   Don Fernando,
ya Isabel en las delicias,
estrellas pisando, entre ellas
riesgos caducos olvida;
su virtud nos lo promete,
y vuestro amor os obliga
a celebrar las mejoras
que goza en más quietas Indias.
El de la Gasca ha enviado
a España a vuestra sobrina,
del marqués, hermano vuestro,
única heredera e hija;
su retrato hasta en el nombre
pues llamándose Francisca,
mezcla, para nuevas famas,
los Pizarros con los Incas.
El rey casarla pretende

con un grande de Castilla,
y para hacerlo, en su corte
la aguarda desde Sevilla.
Licencia trae para veros,
y hoy he tenido noticia
que, en fe de lo que desea,
mañana entrará en Medina.
Amigo, pues que los hados
quieren en una hora misma
lloréis bodas y viudeces
de vuestra Isabel querida,
juntad segunda vez sangre,
añudad quebradas líneas,
dad a vuestro hermano nietos
porque eterno en ellos viva.
Dispensaciones remedian
estorbos, cuando encaminan
los cielos felicidades
que a tanto blasón aspiran.
Consolará su belleza
los pesares que os lastiman
con pérdidas restauradas
en vuestra hermosa sobrina.

Fernando   Tal fineza de amistades
sólo es de un Mercado digna,
que, por mis dichas y medras,
las suyas propias olvida.
Consultaréme a mí mismo;
pero, entre tanto que elija
lo que mejor pueda estarme,
sabed que a doña Francisca,
vuestra hermana y mi señora,
está la palabra mía

empeñada, y que he de darla
prenda ilustre que la sirva.
Ya sabéis vos lo que debo
a la fe y amistad limpia
de don Gonzalo Vivero,
y que desde el primer día
que los dos la profesamos,
las almas juntas y unidas
a pesar de adversidades,
puesto que éstas examinan
los amigos, le han mudado;
su nobleza es conocida,
su valor sin semejante.
Vivero, porque yo viva
contento, su esposo sea,
que como esto se consiga,
imposible de pagaros
obligaciones antiguas,
añadís otras mayores.

Mercado   Esta será nueva dicha
                   para mi honor y mi casa.

(A ella.)

Vivero   Vuestra mano me permita
                   honrar mis labios en ella.

Francisca   Mi voluntad reducida
                   al imperio de mi hermano,
                   por dueño es bien que os reciba.

Mercado   Vamos, pues, y celebremos
                   las obsequias en Medina,

157

de aquel ángel malogrado
que eternas luces habita;
y aprenda el prudente, cuando
envidiosos le persigan,
en don Fernando, pues vence
la lealtad siempre a la envidia.

Fin de la comedia

LIBROS A LA CARTA

A la carta es un servicio especializado para

empresas,

librerías,

bibliotecas,

editoriales

y centros de enseñanza;

y permite confeccionar libros que, por su formato y concepción, sirven a los propósitos más específicos de estas instituciones.

Las empresas nos encargan ediciones personalizadas para marketing editorial o para regalos institucionales. Y los interesados solicitan, a título personal, ediciones antiguas, o no disponibles en el mercado; y las acompañan con notas y comentarios críticos.

Las ediciones tienen como apoyo un libro de estilo con todo tipo de referencias sobre los criterios de tratamiento tipográfico aplicados a nuestros libros que puede ser consultado en www.linkgua-digital.com.

Linkgua edita por encargo diferentes versiones de una misma obra con distintos tratamientos ortotipográficos (actualizaciones de carácter divulgativo de un clásico, o versiones estrictamente fieles a la edición original de referencia).

Este servicio de ediciones a la carta le permitirá, si usted se dedica a la enseñanza, tener una forma de hacer pública su interpretación de un texto y, sobre una versión digitalizada «base», usted podrá introducir interpretaciones del texto fuente. Es un tópico que los profesores denuncien en clase los desmanes de una edición, o vayan comentando errores de interpretación de un texto y esta es una solución útil a esa necesidad del mundo académico.

Asimismo publicamos de manera sistemática, en un mismo catálogo, tesis doctorales y actas de congresos académicos, que son distribuidas a través de nuestra Web.

El servicio de «libros a la carta» funciona de dos formas.

1. Tenemos un fondo de libros digitalizados que usted puede personalizar en tiradas de al menos cinco ejemplares. Estas personalizaciones pueden ser de todo tipo: añadir notas de clase para uso de un grupo de estudiantes, introducir logos corporativos para uso con fines de marketing empresarial, etc. etc.

2. Buscamos libros descatalogados de otras editoriales y los reeditamos en tiradas cortas a petición de un cliente.

33456129R00095

Printed in Great Britain
by Amazon